D0785544

LES MORUES SE DESSALENT

J'ai essayé : on peut !
Un os dans la noce.
Les prédictions de Nostrabérus.
Mets ton doigt où j'ai mon doigt.
Si, signore.
Maman, les petits bateaux.
La vie privée de Walter Klozett.
Dis bonjour à la dame.
Certaines l'aiment chauve.
Concerto pour porte-jarretelles.
Sucette boulevard.
Remets ton slip, gondolier.
Chérie, passe-moi tes microbes !
Une banane dans l'oreille.
Hue, dada !
Vol au-dessus d'un lit de cocu.
Si ma tante en avait.
Fais-moi des choses.
Viens avec ton cierge.
Mon culte sur la commode.
Tire-m'en deux, c'est pour offrir.
A prendre ou à lécher.
Baise-ball à La Baule.
Meurs pas, on a du monde.
Tarte à la crème story.
On liquide et on s'en va.
Champagne pour tout le monde !
Réglez-lui son compte !
La pute enchantée.
Bouge ton pied que je voie la mer.
L'année de la moule.
Du bois dont on fait les pipes.
Va donc m'attendre chez Plumeau.
Morpions Circus.
Remouille-moi la compresse.
Si maman me voyait !
Des gonzesses comme s'il en pleuvait.
Les deux oreilles et la queue.
Pleins feux sur le tutu.
Laissez pousser les asperges.

Poison d'Avril, ou la vie sexuelle de Lili Pute.
Bacchanale chez la mère Tatzi.
Dégustez, gourmandes !
Plein les moustaches.
Après vous s'il en reste, Monsieur le Président.
Chauds, les lapins !
Alice au pays des merguez.
Fais pas dans le porno...
La fête des paires.
Le casse de l'oncle Tom.
Bons baisers où tu sais.
Le trouillomètre à zéro.
Circulez ! Y a rien à voir.
Galantine de volaille pour dames frivoles

Hors série :

L'Histoire de France.
Le standinge.
Béru et ces dames.
Les vacances de Bérurier.
Béru-Béru.
La sexualité.
Les Con.
Les mots en épingle de San-Antonio.
Si « Queue-d'âne » m'était conté.
Les confessions de l'Ange noir.
Y a-t-il un Français dans la salle ?
Les clés du pouvoir sont dans la boîte à gants.
Les aventures galantes de Bérurier.
Faut-il tuer les petits garçons qui ont les mains sur les hanches ?

Œuvres complètes :

Vingt-deux tomes déjà parus.

SAN-ANTONIO

LES MORUES SE DESSALENT

Roman Hypodermique

6, rue Garancière - Paris VIe

© 1988, « Éditions Fleuve Noir », Paris.

ISBN 2-265-03781-8

Faut-il que je sois intelligent pour ne pas avoir l'air vraiment con !

San-Antonio

Ce livre n'est pas à la portée de n'importe qui. Seul un esprit épicurien véritable peut en saisir toutes les nuances ; c'est pourquoi je suis dans l'heureuse obligation de le dédier à mon ami Pierre SCICLOUNOFF sans qui la ville de Genève ne serait pas ce qu'elle est.

SAN-A.

— Ça n'a pas l'air d'aller fort, grand-père?
— Je suis vieux!
— Gardez le moral : ça vous passera!

*
**

— Alors, tu l'as baisée, la petite blonde?
— Elle n'a pas voulu!
— Je t'avais prévenu que c'était une salope!

*
**

Si tu n'as plus rien à attendre de la vie, un conseil :
n'attends plus!

*
**

— Je vous présente M. Balzac.
— Très honoré!

LES MORUES SE DESSALENT

Un chef-d'œuvre de plus de
SAN-ANTONIO

LES REVELATIONS
D'UN BOUFFEUR DE CHATTES

Il me tend sa carte en guise de réponse.
Je lis très exactement ceci :

Vicomte Hugues Capet de Flatulence
Bouffeur de chattes

Spécialités : minette chantée, feuille
de rose, langue fourrée, doigt de
cour.

320, rue Jean-Darmapier. Paris XVI

Sur rendez-vous uniquement

Ebloui par un tel bristol, je lui demande la permission de le conserver. Il y consent d'un geste qui n'a rien de roturier.

— Bouffeur de chattes, fais-je, voilà qui n'est pas commun.

Mon sourire doit être quelque peu niais. L'homme s'en débarrasse d'une œillade polaire.

Sans doute est-il temps de te le décrire. Il s'agit d'un quinquagénaire au visage aristocratique, avec un nez à ce point bourbonien que ce pauvre Louis Seize en aurait déféqué dans sa culotte des dimanches. Il a le regard presque blanc, mais ombragé (comme disent les puissants écrivains qui fabriquent des dictées pour classes de cinquième à longueur de carrière) par d'énormes sourcils en virgule. Il porte moustache, style Maupassant, attribut presque nécessaire pour un métier auquel il apporte un *must*. Signe particulier : ses oreilles extrêmement développées et rondes qui donnent à sa tête l'aspect d'un tombereau. Le teint pâle, la bouche heureusement charnue, le menton volontaire, il tient à la fois du lieutenant de carrière d'avant Quatorze, du chevalier d'alcôves de la même époque, du gynécologue pour dames de la haute bourgeoisie avec, par-dessus tout cela, un air de coquin rusé dont le compte bancaire ressemble à un gyrophare de voiture de pompiers.

Répondant à ma réflexion, car il ne s'agissait pas, à dégueulassement parler (1), d'une question, le vicomte déclare :

— C'est parce que cette profession n'est pas encombrée que j'y réussis, commissaire. Je conçois qu'elle vous surprenne, mais nous vivons, voyez-vous, une époque où seules les initiatives originales ont des chances de rencontrer le succès. Un jour d'il y a quatre ans, je me suis retrouvé sans ressources ni métier, avec une pension alimentaire à servir pour trois procréations évasives auxquelles une épouse répudiée entend donner le savoir et l'éducation.

« J'avais en outre sur les reins un vieux château en Dordogne, que se disputaient les araignées, les rats et leurs sœurs ailées les chauves-souris. Je tenais à cette vieille demeure familiale. Je pense que c'est surtout pour elle que j'ai décidé de gagner de l'argent. Vous n'ignorez pas, je pense, que les pierres sont plus attachantes que les êtres, voilà pourquoi la plupart des paysans préfèrent leur ferme à leur famille.

« Voulant m'enrichir, je cherchai éperdument par

(1)Réaction contre ces expressions toutes faites, exemple : « à PROPREMENT parler » !

quels moyens. Sans capitaux, les relations sont vaines. Je n'avais pas d'art à cultiver. Nous sommes des hobereaux, chez les Capet de Flatulence. Quel don pouvais-je bien mettre en exploitation ? C'est alors que je songeai à cette technique éprouvée que je possède, dans la pratique de la minette. Bouffer des culs fut, depuis mon adolescence, l'une des principales de mes raisons d'être. Sans vouloir me vanter, j'y excelle. Vous m'objecterez, commissaire, que cette pratique amoureuse est des plus simples, et que prétendre la rendre performante est un leurre. Que non point. Il y faut beaucoup d'initiative, au contraire. Joindre l'agilité linguale à l'imagination la plus débridée, la hardiesse à la délicatesse, mettre en application l'oubli de soi pour se mieux consacrer au plaisir de l'autre. Et surtout, posséder l'endurance, la capacité d'autonomie respiratoire. Si asthmatique, s'abstenir ! Le bouffage de cul que j'appellerais professionnel n'est pas, comme d'aucuns freluquets du sexe l'imaginent, un hors-d'œuvre ! Il constitue au contraire le plus somptueux des plats de résistance.

« J'ai procédé à des sondages, commissaire. Savez-vous le temps qu'un individu moyen accorde à la broute-broute ? Dites un chiffre ? Vous vous y refusez ? Vous donnez votre langue au chat, si je puis dire ? Six minutes, mon cher ! Par mois ! M'avez-vous bien entendu ? PAR MOIS ! Or, moi, Hugues Capet de Flatulence, je soutiens mordicus qu'un vrai bouffèment de chatte ne saurait être inférieur à deux heures consécutives. Oui, commissaire : deux heures par séance. On peut, certes, accomplir une convenable prestation en une heure, mais ça reste du bâclage. Je vous dis mon record ? Je vous le dis ? Sous la foi du serment, commissaire, car s'il est un domaine d'où toute vantardise doit être proscrite, c'est bien celui-là. Trente-huit heures ! Je ne dirai pas non-stop, ce serait trahir. Trente-huit heures, une fois défalquées les escales de nécessité : la nature ne fait que nous prêter nos corps, mais elle conserve sa mainmise sur eux, la garce !

« Mais pardonnez-moi, cette digression m'entraîne loin de mon propos. Je voulais, avant d'y arriver, vous expliquer qui je suis et comment je fonctionne. Donc, ce jour de prise de conscience, ce jour de grande décision qui marqua le tournant de ma vie, je me dis qu'il me fallait vendre mes dons de bouffeur de cul comme un kinési vend ses massages et un guérisseur son fluide. L'homme qui réussit est celui qui comprend qu'il existe partout, en tous lieux, des gens en train de rechercher ce qu'il a à leur proposer. L'unique problème est celui de la mise en contact.

« Je concoctai un texte, le fis graver sur mon papier à lettres et l'adressai, par vagues de cent exemplaires, à des dames puisées dans l'annuaire. Je sélectionnais celles qui, visiblement, étaient sans époux, leur nom figurant seul précédé de l'abréviatif « Mme ». Je négligeais les « Mlle », lesquelles risquaient de me valoir des surprises désagréables, la très vieille fille n'entrant pas dans la catégorie des pratiques potentielles. L'idéal, voyez-vous, c'est la veuve encore jeune et la divorcée déçue. Dans ce texte... Mais tenez, lisez-le, j'en ai toujours quelques exemplaires sur moi. »

Le vicomte tire d'une pochette de croco noire aux coins renforcés d'or un document bellement imprimé en anglaise romantique sur papier vélin supérieur à la cuve dûment filigrané.

Je lui souris. La moustache en plus, il ressemble à *l'Homme à l'œillet* de Jan Van Eyck.

Le texte annoncé est le suivant :

Madame,

Avant toute chose, je vous prie de pardonner ce que vous considérerez peut-être comme une impudence, voire une farce douteuse.

Mais je pense qu'en ces temps de perversions éhontées, l'homme qui parle franchement mérite d'être écouté.

Je tiens de mes aïeux un amour fou pour le sexe de la femme. Je déteste le besogner sottement comme n'importe quel mammifère en rut. Je préfère le déguster car il est savoureux. Si vous consentiez à user de mes soins passionnés, je crois pouvoir vous assurer, sans forfanterie, que vous connaîtriez des sensations inoubliables.

Consacrant ma vie à cette merveilleuse croisade, je dois hélas la faire rémunérer. Ci-joint mes tarifs qui, vous le constaterez, sont modiques, compte tenu de la félicité que je dispense.

Ne vous laissez pas brimer, Madame, par la timidité ou de vains préjugés. La jouissance appartient à ceux qui l'attendent.

Un appel téléphonique me permettrait de vous en dire davantage et de vous le dire mieux.

Vicomte Hugues Capet de Flatulence

Un dépliant se trouvait agrafé à cette lettre-circulaire.

L'avers représentait le vicomte « au travail », sa tête d'aristo entre les cuisses d'une personne apparemment d'âge et de condition moyens. Son astuce avait été d'utiliser pour sa publicité, non pas une fringante pin-up qui eût découragé les éventuelles clientes au physique ingrat, mais une dame plutôt terne, un peu grassouillette, affligée de cellulite. Cette « cliente » rassurait les femmes indécises. De plus, sa figure pâmée exprimait un plaisir si intense qu'elle devait balayer bien des résistances. J'imaginai les pauvres veuves devant ce cliché, elles qui étaient en manque et que le désir tourmentait. Leurs hésitations se muaient en tentations, puis en décision. Au bout de quelques jours, elles « tombaient » comme des redoutes trop longtemps assiégées. Décrochaient peureusement leur téléphone pour carillonner ce professionnel de haut niveau.

Au verso de la photo figurait la liste des prix.
Je lus :

Minette classique : 600 F de l'heure.
Minette avec doigt de cour et pétrissage simultané d'un
mamelon : 850 F.
Minette avec utilisation d'un vibromasseur : 1 000 F.
Forfaits très étudiés pour l'après-midi entier; prix
selon programme décidé. Devis sur demande et sans
engagement ferme.

— Puis-je conserver également ce document ?
demandé-je au vicomte.
— Naturellement, commissaire. Je sais qu'il amuse
beaucoup les messieurs, mais l'essentiel est qu'il intéresse les dames.
— Il est rentable ?
— Au point que je ne le poste plus que par petites
fournées espacées, histoire de renouveler une partie de
ma clientèle, laquelle m'est farouchement fidèle. Rien
ne vaut la publicité orale, vous savez !
« Les dames qui m'ont essayé reviennent régulièrement, certaines m'adressent leurs amies. Mon téléphone figure dans bien des carnets. Sous quelle rubri-
que ? Ça je l'ignore et ne le demande pas, étant discret.
A « coiffeur », je gage, ou peut-être « gynéco », ce qui
ne serait pas fou.
« Si vous saviez le nombre d'appels de nuit que je
reçois, en urgent ! »
— Là, le tarif est doublé, je suppose ? demandé-je.
— Cela va de soi ! Etre réveillé à des trois ou quatre
heures du matin pour aller bouffer le cul d'une charcu-
tière dont l'époux est à la chasse, n'a rien de folichon,
mon cher. Surtout quand vous vous êtes couché tard
après avoir festoyé. Le cœur n'est guère à l'ouvrage.
— Votre métier ressortit de la médecine, quelque
part ?
— Il en est virtuellement une branche : je soulage,
commissaire.

— Ça doit rapporter gros ?

— Gros, n'exagérons pas. Disons que j'ai une vie large.

— Où en est le château ?

— La toiture en est refaite, le chauffage central a été posé et je suis en train d'aménager des salles de bains en marbre tabac blond avec robinetterie de luxe !

— Comme quoi il est bon d'avoir une langue et de savoir s'en servir ! noté-je en glissant dans ma poche les papiers prospecteurs du vicomte.

« Et maintenant, monsieur le bouffeur de chattes, après ce documentaire passionnant sur vos activités, si nous en arrivions à l'objet de votre visite ? »

— J'allais le faire, commissaire, me doutant que votre temps est précieux. Mais auparavant, je dois vous fournir encore quelques précisions d'ordre professionnel. Il arrive, voyez-vous, qu'un important pourcentage de mes clientes souhaite une finalité plus orthodoxe de mes séances. Chez certaines, la jouissance ne s'accomplit bien que par le coït. Elles ont des instincts animaux, comprenez-vous ? Or, il m'est impossible de terminer avec mon sexe l'œuvre que j'ai entreprise avec ma langue. Quel homme d'ailleurs pourrait baiser quotidiennement douze femmes pas toujours excitantes ? Force m'est donc de faire appel à des palliatifs mécaniques, vous voyez ce que je veux dire ?

— Très bien.

— Au début, j'usais d'un godemiché de secours, une prothèse ridicule pour le tout-venant. Mais ces belles ne l'entendent pas de ce caoutchouc-là ! Oh ! que non ! Comme il y allait de ma réputation, j'ai dû reconsidérer la question, perfectionner mon matériel, dénicher des ustensiles de haute performance. Renseignements pris, c'est le Danemark qui se trouve à l'avant-garde de ce genre d'outils. Vous vous rendez compte : le Danemark ! Un pays grand comme ma main. Cinq millions d'habitants ! La population de Paris, à peine !

« Et des gens tellement gris, tellement anonymes ! Vikings mes fesses, commissaire ! Qu'ils se soient reproduits jusqu'à nos jours laisse perplexe. D'ailleurs, s'ils sont champions du godemiché, cela dénote une abdication de l'espèce, vous me l'accorderez ? Donc, me voilà parti pour Copenhague, lesté d'adresses de sex-shops d'avant-garde. Je visite ces maisons comme on va au Salon de l'Auto se choisir une voiture de sport. Effectivement, j'y déniche du jamais vu. Des modèles fascinants par leur réalisme. Ils ressemblent à de la bite, ils ont le toucher de la bite, le goût de la bite, mais c'est du factice.

« Cela dit, je salue la qualité de l'invention. La texture, les couleurs, la température, même, entretenue par une pile insérée dans les faux roustons. Du bel art ! Système d'émission séminale incorporé, déclenchable par simple pression. L'épanchement s'opère dans les conditions précises des éjaculations vivantes. Des engins pareils, je vais vous dire, commissaire : c'est la mort de l'homme ! Sa dérision aboutie. Qu'on trouve un procédé pour rendre cet ersatz fécondant (et avec ces salauds de scientifiques on peut s'attendre à tout !) et le mâle disparaît de la planète. N'y subsisteront plus que des amazones ! J'entrevois, j'entrevois clairement. Si le cœur vous en dit, je vous montrerai mon acquisition et vous serez époustouflé.

« Mais passons. Ce n'est point pour vous parler de ces performances que je vous vole votre temps. Je vais arriver enfin, rassurez-vous, à l'objet de notre rencontre. »

Il empoigne son tarbouif Grand Siècle comme pour s'assurer qu'il est toujours fidèle au poste, le pétrit largement, souffle fort pour expulser les scories qui l'encombrent, essuie sa main réceptrice à son mouchoir et reprend :

— Bien entendu, j'ai profité de mon voyage à Copenhague pour visiter la ville. Elle est ancienne et plutôt agréable. Dans ses rues fourmillantes de vélos, on oublie que le pays est plat comme une limande. J'y ai joué au touriste. Je n'aime guère arpenter un pays avec un Nikon en guise de nombril, comme le premier

Japonais venu, mais l'homme est ainsi fait qu'il ne lui suffit pas de découvrir : il entend conserver le témoignage de ses découvertes, ce qui explique que les fabricants de pellicule fassent florès.

« J'ai donc souillé un certain nombre de bobines avant de finir mon périple, la nuit venue, par Tivoli Park. L'endroit est agréable, bon enfant, avec des attractions, des manèges, un petit lac, un théâtre de verdure où se produisent des mimes et des concertistes. Tivoli est en quelque sorte l'âme de la ville. Le parc ferme à minuit après qu'on y ait tiré un feu d'artifice, manière sympathique de prendre congé des visiteurs. »

Il est méthodique, le bouffeur. Il campe bien le décor avant de faire entrer les personnages.

— Je fis donc le tour de cette fête foraine où les flonflons des manèges et les cris du public créent un vacarme assourdissant. Rien de plus épuisant que d'aller ainsi à l'aventure, d'un point d'attraction à un autre. On parcourt des kilomètres sans s'en rendre compte, et soudain, la fatigue vous coupe les jambes.

« Je trouvai un banc providentiel dans l'un des rares coins tranquilles de l'endroit. J'étais décidé à attendre le feu d'artifice puis à regagner mon hôtel pour me coucher. Soudain, je perçus plusieurs détonations à proximité de l'endroit où je me trouvais. Sur l'instant, je crus qu'elles étaient produites sur quelque stand de tir forain, mais à la réflexion, elles me semblaient plutôt provenir d'un fourré voisin.

« Je m'approchai de l'endroit. A ma vue, deux silhouettes sombres prirent la fuite. Des plaintes s'élevant, je continuai d'avancer et je découvris un homme gisant sur la pelouse. Il respirait avec difficulté, haletait comme un poisson frais pêché. J'eus alors un réflexe dont je ne me serais pas cru capable et qui me laisse perplexe à propos de mon psychisme : je le photographiai, commissaire. Tout comme je venais de photographier la grande roue et les mimes italiens du théâtre de verdure. Il était à ce point déboussolé qu'il ne vit même pas l'éclair de mon flash. Il faut dire qu'il tenait ses yeux fermés tant sa souffrance était intense.

« Ma sotte réaction libérée, je m'agenouillai auprès de lui. Je vis que son veston était déchiqueté à l'emplacement du cœur ; cela formait une sorte de trou large comme la main dont les bords étaient roussis. On lui avait tiré dessus presque à bout touchant. J'écartai le veston : la chemise aussi était trouée et brûlée. Mais dessous, au lieu de la vilaine plaie à laquelle je m'attendais, je trouvai la matière spéciale d'un gilet pare-balles. L'homme n'avait pas été tué grâce à ce système de protection ; par contre, le formidable impact des balles de gros calibre contre sa poitrine l'avait privé de souffle.

« Il mit un temps fou à récupérer. J'étais là, comme un idiot, ne sachant comment l'assister. A un moment donné, je décidai de chercher du secours. Comme je me redressais, sa main saisit ma cheville. Je le regardai ; il m'adressait un signe négatif. Alors je me tins coi, attendant la suite des événements. Le type m'adressa la parole dès qu'il en eut la force. En danois. Vous savez que cette langue est barbare pour nos tympans latins. Quand il s'aperçut que je ne la comprenais pas, il me parla en anglais, dialecte beaucoup plus humain dont il m'arrive d'user lorsque je voyage à l'étranger. L'homme me remercia pour mon intervention et me conjura de n'appeler personne.

« Qu'auriez-vous pensé à ma place ? Qu'il s'agissait d'un règlement de compte entre gredins du Milieu, n'est-ce pas. Quel est l'honnête homme sur lequel on tire avec un pistolet et qui garde, si je puis dire, la chose pour soi ? Et cependant ce garçon n'avait rien d'un truand. Il était blond, avec un regard clair d'archange du Nord qui recelait quelque chose de pathétique. Il m'intéressait. Je trouvais cette aventure inimaginable. Je venais à Copenhague pour faire l'emplette d'un godemiché perfectionné et voilà que je tombais sur un mystère de gros calibre. L'homme put se mettre debout. Il se tenait voûté, à cause du traumatisme

provoqué par les balles. Je songeai que s'il portait ce
gilet c'était bien parce qu'il s'attendait à une telle
agression.

« — Je peux faire quelque chose pour vous ? » lui
demandai-je.

« — Vous avez fait l'essentiel, puisque vous m'avez
sauvé la vie. Sans votre intervention, ces tueurs se
seraient sûrement rendu compte que j'avais un gilet
protecteur et m'auraient tiré dans la nuque ou dans le
ventre ! »

« Voilà ce qu'il me dit. Je laissai voguer ma curiosité
par trop démangeante.

« — Vous saviez qu'on voulait vous assassiner ? »

« — Cela fait deux fois « qu'ils » me ratent. »

« — Qui « ils » ? »

« — Des professionnels chargés de me liquider. »

« — Et vous n'allez pas à la police ? »

« — Cela ne servirait à rien. On ne peut pas protéger
un homme vingt-quatre heures sur vingt-quatre pendant le restant de ses jours. Ils m'auront, c'est fatal !
Inéluctable. A moins que je ne découvre un coin de la
planète où ils n'auraient pas l'idée de venir me chercher. »

« — Est-il indiscret de vous demander qui a décidé
votre mort, et pour quelle raison ? »

« Il secoua la tête, accablé comme s'il lui était
impossible de répondre à ma double question. Pourtant, il ressentait une intense gratitude à mon endroit et
il voulut me la témoigner.

« — Nous étions quatre, me dit-il. Les trois autres
sont morts. Je suis le dernier. »

« — Quatre quoi ? »

« — Techniciens. »

« Ça devenait de plus en plus de l'hébreu pour moi.
Nous nous trouvions dans la lumière d'un lampadaire.
Des enfants nous bousculaient en courant. Le vacarme
de la fête était assourdissant. Nous sommes restés
indécis, lui et moi, sans parvenir à nous séparer. Je
sentais que ma présence constituait pour lui un fantasti-

que réconfort. Il avait besoin de moi en cet instant si dramatique. J'étais celui grâce auquel il vivait encore.

« — Ecoutez, lui dis-je, moi je vois les choses de la façon suivante. Ces deux meurtriers croient vous avoir abattu. Par conséquent, jusqu'à ce qu'ils s'aperçoivent de leur erreur, vous n'existez plus pour eux. J'estime que vous avez la nuit devant vous pour essayer de disparaître. Je suis français, en voyage d'affaires. Si je vais prendre une place d'avion à mon nom pour une destination quelconque et que je vous donne le titre de voyage, vous pouvez partir sans laisser de trace, non ?

« Il m'écoutait en acquiesçant doucement. Je voyais renaître l'espoir dans son regard.

« — Ce serait fantastique, admit-il. Seulement je n'ai pas assez d'argent sur moi pour filer ; tout ce que je possède se trouve dans mon appartement, et si celui-ci est surveillé... »

J'étais survolté par l'altruisme, cette nuit-là. Un tempérament de terre-neuve m'était venu, qui m'exaltait. Il y a de ces instants privilégiés au cours desquels on a besoin de se consacrer aux autres.

« — Si vous le voulez, je peux aller chez vous chercher votre pécule. »

« — Vous feriez cela ? »

« — Puisque je vous le propose. »

« — Vous êtes ma providence », fit-il dans un élan.

« Il habitait un deux-pièces dans une petite rue proche de « La Fontaine aux Cigognes ». Le quartier pue le poisson à cause du marché de Gammel Strand.

« Nous prîmes un taxi et nous nous fîmes conduire à deux rues de la sienne. Il fut décidé qu'il m'attendrait sous un porche pendant que j'irais dénicher son magot. Quand il me tendit les clés, je vis que sa main tremblait.

« Je me rendis chez lui après m'être assuré que son immeuble n'était pas surveillé. Il logeait au fond d'une cour pavée où l'on avait aménagé des plates-bandes entourées de briques peintes en rouge. Je pénétrai dans son logement et, sans actionner la lumière, me guidant tant bien que mal à la clarté produite par le lampadaire de la cour, je trouvai sa planque, laquelle était assez puérile puisqu'il avait caché la sacoche contenant ses biens derrière le panneau de contre-plaqué laqué dressé contre la baignoire. Il suffisait de retirer six vis pour mettre la main sur son fric. Je pris le sac de cuir, remis le panneau en place et m'en allai rejoindre l'homme « assassiné ». Lorsqu'il me vit revenir avec son sac, je vous donne ma parole qu'il eut des larmes plein les yeux. Il murmurait des choses en danois que je devinais flatteuses pour moi.

« — Et maintenant, fis-je, allons à l'aéroport. »

« Un second taxi nous y conduisit. Minuit approchait et il n'y avait plus de vol avant le lendemain matin très tôt. Malgré tout, un guichet restait ouvert. A sa demande, je pris un billet pour Søndre Strømfjord. Le nom était si imprononçable qu'il me l'écrivit sur un morceau de papier. Par la suite, je pris mes renseignements et appris que Søndre Strømfjord est un aéroport du Groenland. Je me dis que l'idée d'aller se planquer dans cette contrée glacée n'était, après tout, pas mauvaise.

« Le billet acheté, j'emmenai l'homme à mon hôtel et il dormit sur la moquette de ma chambre. Au petit jour on nous réveilla avec un copieux petit déjeuner. Il mangea de bon appétit, se doucha, se rasa et prit congé de moi avec chaleur.

« — Ce que vous avez fait, je ne l'oublierai jamais, assura-t-il. Je devrais sans doute vous fournir des explications, mais mon aventure est une longue et étrange histoire qu'il vaut mieux que je garde pour moi. Sachez seulement ceci : J'ai été engagé avec trois autres spécialistes exerçant ma profession pour accomplir un travail hors du commun. Celui-ci nous a été grassement payé. (Là, il a tapoté sa sacoche de cuir que, bien entendu, je n'avais pas eu l'outrecuidance d'ouvrir pour en contrôler le contenu.)

« Et puis, poursuivit-il, l'un de nous est mort tragiquement, défenestré d'un immeuble de Londres. Deux jours plus tard, on a retrouvé le second, écrasé par le métro de Paris à la station Havre-Caumartin : quelqu'un l'avait poussé au moment où la rame entrait en gare. Deux jours après, ça a été le tour du troisième : sa voiture piégée avait explosée dans une rue de Milan et il était en charpie. Quarante-huit heures plus tard, j'ai reçu un coup de poignard dans une rue de Bruxelles. J'aurais dû avoir le cœur transpercé, mais, heureusement, mon portefeuille, plein de paperasses, a neutralisé le coup. C'est ce qui m'a donné l'idée de mettre un gilet pare-balles. Vivre avec cette lourde chose sur les épaules est un calvaire. Mais, ce soir, elle m'a sauvé la vie.

« Depuis la mort de mon deuxième compagnon, j'ai compris qu'on voulait nous anéantir afin qu'il ne subsiste personne susceptible de parler de notre travail, comme, autrefois, on supprimait ceux qui avaient aménagé, en Egypte, les chambres secrètes de certains édifices. »

Le vicomte se tut. Il racontait bien, s'appliquant à « faire vivre » au maximum son récit.

— Il n'a pas fait davantage allusion au travail en question ? lui demandé-je.

— Non. Je lui ai suggéré qu'il écrive un mémoire à ce sujet et le dépose chez un notaire, mais il est devenu grave et m'a répondu d'un ton effrayé « Oh ! non ! C'est impossible ! Impossible ! » Je l'ai regardé, depuis ma chambre, monter dans un taxi pour se faire conduire à l'aéroport. La chose se passait il y a trois jours, commissaire. Je suis rentré avant-hier de Copenhague et, depuis, cette aventure m'obsède.

« Hier, lisant un article que *L'Evénement du Jeudi* vous a consacré, j'ai décidé de venir vous confier mon secret. Je vous ai tout dit. Voici en outre les deux photographies que j'ai prises de l'homme, ainsi que le morceau de papier sur lequel il a noté le nom de l'aéroport groenlandais.

« Si vous voyez d'autres questions à me poser, je suis à votre disposition jusqu'à 14 heures, ayant rendez-vous une demi-heure plus tard chez une avocate dont je bouffe la chatte pendant qu'elle reçoit ses clients. Je me tiens agenouillé sous son bureau et elle discute ses dossiers tandis que j'interpelle son clitoris exquis. Cela ajoute du piquant à la chose, pour elle comme pour moi. »

Ainsi me parla le boufeur de chattes professionnel.

MA CONSCIENCE POUR MOI

En examinant les photos de l'homme à abattre, je comprends ce qui a poussé le vicomte à lui prêter aide et assistance. Il émane de ce garçon une sorte de rayonnement, de gentillesse totale. Il est impossible que cet être soit, de près ou de loin, un gredin. Il a un beau visage évoquant celui de Jean Marais dans *L'Eternel Retour,* des cheveux légèrement bouclés et une mâchoire bien dessinée. Sa séduction est indéniable, on la constate bien qu'il eût été pris par l'objectif d'Hugues Capet de Flatulence en un moment d'intense souffrance.

Après un temps de méditation, je déclare à mon visiteur :

— Je conçois que vous ayez eu besoin de confier cette peu banale histoire à un flic, mon cher. Hélas, je ne vois guère ce que je peux faire pour votre protégé. Ce qui lui arrive n'est pas de mon ressort. Certes, je pourrais alerter les autorités danoises, mais étant donné qu'il s'y refuse, cela risquerait de le desservir.

Malin, le clitophage, car il me dit, avec une espèce de goguenardise dans le ton :

— Et le mystère, commissaire ? Hmmm ? Le mystère en lui-même, il ne vous excite pas ? Et votre conscience professionnelle, hein ? Votre conscience professionnelle, elle ne frétille pas ?

De nouveau il s'assure que son magistral pif est toujours planté dans sa frime de pourlécheur. L'ayant dûment palpé et secoué pour vérifier sa solidité, il ajoute :

— Oh ! j'oubliais !

Il fouille sa poche et en retire une clé chromée servant à actionner une serrure de sécurité.

— Figurez-vous que j'ai omis de rendre à cet homme la clé de son logis. L'émotion, probablement, car, ie vous l'avoue, je n'étais pas très rassuré en allant visiter son *home*. Et il n'a pas songé non plus à me la réclamer. D'ailleurs, je ne pense pas qu'il y remette jamais les pieds.

Je rêvasse. Putain que cette aventure est séduisante ! Je regarde à nouveau les deux clichés et j'essaie de me mettre dans la peau de cet homme poursuivi, dont la mort a été décidée et dont on a déjà bousillé les compagnons de travail. *De quel travail ?* Là est le nœud de ce mystère. Il devait s'agir d'une chose illicite puisque le gars estime « impossible » de se mettre sous la protection de la police.

— Je vous laisse, fait soudain le bouffeur de frifris en se levant, le devoir m'appelle.

Un moment je me demande s'il ne serait pas un peu dérangé de la coiffe. Un fabulateur ? C'est fréquent. Il a lu l'excellent reportage que *L'Evénement* m'a effectivement consacré et l'envie l'a pris de venir m'épater avec une histoire de cornecul.

Seulement il y a les photos qui représentent en effet un homme au bord de la perte de connaissance. Il y a ce nom scandinave écrit d'une écriture penchée, incisive, pas du tout une écriture de chez nous. Les « o » sont barrés dans la foulée par quelqu'un qui est habitué à manier ce langage de merde. Il y a aussi cette clé sur laquelle est gravée la référence d'une manufacture suédoise...

— Je vous remercie de votre marque de confiance, monsieur de Flatulence, finis-je par débiter, façon compliment de la petite fille des écoles remettant le bouquet de bienvenue au député en visite. Je ne sais encore ce que je vais faire.

— Ce que vous allez faire ? Mais pardieu ! essayer d'en savoir plus, mon cher commissaire. Ou alors je suis passé à côté de votre interview !

Mon regard intense plonge dans le sien. Il me bluffe ou pas, cézigus ? Franchement, quand t'as pour profession brouter la touffe des dames en manque, c'est qu'il y a une couille dans l'induction électromagnétique de ta boîte de Faraday ! Me fais-je-t-il comprendre ?

— Les choses ne sont pas aussi simples, évasivé-je. Je lui presse la main.

— J'ai votre carte ; je vous appellerai si besoin est.

Il acquiesce, un sourire confiant aux lèvres. A peine est-il à ma porte que je le hèle :

— Oh ! avant que vous ne partiez, précisez-moi donc l'adresse de cet homme, à Copenhague.

Là, sa bouille devient radieuse comme le drapeau japonouille.

— J'attendais ça ! déclare-t-il en revenant à mon burlingue. Si vous me réclamez cette précision c'est donc que vous comptez intervenir. L'homme demeurait au 18 de Jakdarthusgade. Il n'y avait pas son nom sur la porte et pas un instant il ne me l'a révélé.

— Chez lui, vous n'avez pas eu l'idée d'en savoir davantage en musardant dans son appartement ?

— Non, commissaire. Chez lui, je claquais des dents, me déplaçais à tâtons et n'avais qu'une hâte : récupérer son magot et filer.

— Très bien, ce sera tout.

Il m'adresse un salut de la main, léger, mousquetaire.

La première personne que j'aperçois, en poussant la porte du bureau réservé à mon équipe, c'est Apollon-Jules, le moutard de Bérurier, en train de bédoler dans un seau de plastique servant plus communément à la toilette des locaux.

L'heureux père nous a repris son hoir pour deux jours, vu que Berthe est chez du monde à la campagne et que le Mastar a congé. Comme il a la fibre paternelle surdéveloppée, l'Obèse entend mettre ces circonstances à profit pour jouer à la nounou, ce qui ne laisse pas de tourmenter ma Félicie, consciencieuse nourrice.

Le cher homme presse son bambin d'accomplir ses efforts intestinaux, mais le môme qui n'est pas habitué à ce genre de réceptacle regimbe.

— Tu pourrais le conduire aux gogues ! reproché-je.

— C'est ça ! Pour qu'y va mettre un pied dans la lunette et se m'casser une guitare ! Allez, mon mignon, appuille ! Appuille bien fort, ça va viendre ! T'vas nous en pond' une d'première, mon p'tit gars, si tu s'rais le fils à ton père !

Pinaud somnole comme un hibou promis au naturaliste. Sa vieillesse en os est frileuse. Elle lui est venue avant l'âge, sollicitée par ce terrain de rêve. C'est déjà presque un mausolée, le Branleur. Un fagot de bois mort.

Mathias, qui passait pour un bonjour, donne des conseils au Gros à propos de l'opération en cours. Dix-huit chiares, ça te confère une expérience absolue. Il sait tout des otites, diarrhées, constipations, rougeoles, coqueluches, rubéoles, scarlatines et autres fièvres éruptives ou pas, le Rouillé ! D'une main sur le front, il est cap' d'annoncer la température d'un lardon. Il a soigné des chiées de varicelles, d'oreillons, d'angines, de rhinopharyngites. Le lavement, c'est son violon d'Ingres, le *spray* pour la gorge, son bâton de maréchal.

Alors il explique l'endroit du ventre qu'il convient de masser et les mots qu'il faut prononcer, avec leurs inflexions, quand il s'agit d'assister une chiotterie récalcitrante.

La leçon finit par porter ses fruits, pour le grand contentement de l'heureux père, fier des selles de son enfant comme s'il s'agissait d'un bac avec mention.

Bon, on torche l'intéressé, le Gros évacue les produits de la ferme et moi je vais ouvrir en grand la fenêtre, ce qui provoque une série d'éternuements chez Pinuche, sans toutefois le réveiller.

— T'fais une gueule comme quand est-ce Berthe a ses règ', déclare le Péremptoire. Du grabuge à la clé ?

Apollon-Jules s'est réfugié dans mes bras. Je le promène en rêvassant dans le bureau dont il n'a pas aidé à combattre la malodorance.

— Un drôle de mec vient de me raconter une drôle d'histoire, dis-je.

Et sans même qu'ils m'en prient, je me mets à raconter ce que tu viens d'apprendre à mes trois larrons. Apollon-Jules me tord les oreilles, histoire de se marrer, ce qui ne facilite pas mon élocution. J'ai idée que ça va devenir un drôle de castagneur, ce moujingue. Dès qu'il voit un môme de son âge, qu'il soit mâle ou femelle, il y va en torgnoles appuyées, le petit sagouin ! Ça mugit vachement dans le Landerneau. L'autre jour, m'man l'a conduit aux manèges et l'a mis dans une fusée interplanétaire en compagnie d'une exquise fillette. Lorsque l'engin spatial a retouché terre, la gamine avait le tarin en sang et il lui manquait des poignées de crins ! Sa vieille voulait porter l'affaire en Justice comme quoi les monstres, on les enferme dans des cages au lieu de les amener dans les fêtes foraines ! Y a fallu toute la diplomatie de ma chère vieille pour écraser le coup ! Une vraie terreur, ce mec !

N'empêche que, nonobstant ses voies de fait sur mes éventails à libellules, je relaie le récit du vicomte. Pinuche n'a tenu que jusqu'à l'entracte et s'est rendormi. Mais les deux autres sont suspendus à mes lèvres. Je leur dis bien tout, très comme il faut, après quoi je fourre Kid Béru dans les abattis de son vieux et je sors les photos.

Mes potes regardent attentivement.

— Ton bouffeur de culs, il t'aura berluré, diagnostique le Gravos. C't'un miteux-man. Il est été prend' ces giries dans un polar quéconque !

— Et les photos ?

— Elles prouvent quoi t'est-ce ? C'est p't'être celles à son n'veu ou à n'importe quel gonzier qu'il aura flashé dans la rue !

Plus mesuré, Mathias, demande :

— Voulez-vous me confier ces différents documents, commissaire ? Je peux me mettre en rapport avec mon collègue du laboratoire de Copenhague que j'ai rencontré lors d'un congrès de la police technique à Düsseldorf, le printemps dernier. Simplement pour savoir si l'homme en question existe et habite bien dans Jakdarthusgade.

Il « croche », le blondinet, comme on dit en Helvétie. J'aime bien les mecs qui veulent en savoir plus long que leur bite.

— Prends, mon drôlet !

— De même, enchaîne le Rouillé, il serait intéressant de savoir si, ces derniers temps, un homme a bien été défenestré à Londres, si un autre a bien été poussé sous une rame de métro à Havre-Caumartin et si un troisième est mort au volant de sa voiture piégée à Milan.

— Je crois m'entendre penser, fils ! complimenté-je.

S'il pouvait rougir, il rougirait, mais ni les pivoines, ni les coquelicots, ni les rouquins de son espèce n'y parviennent.

Béru dit qu'il va conduire son fils à la brasserie Gutenberg pour lui offrir sa première choucroute, car il pense qu'un gamin de dix-huit mois doit se familiariser avec les bonheurs de la clape. Pinuche quant à lui, continue de roupiller. Mais va pas le croire complètement obsolète, le léthargeux. Il sait s'arracher aux torpeurs quand une juste cause l'exige. Je vois par exemple, dans mon précédent *book*, pompeusement titulé *Galantine de volaille pour dames frivoles*, la manière qu'en quelques heures, tout seul et sans vélo, il a réussi à me retrouver Elodie Smurgh, la tueuse, les bras continuent de m'en tomber : regarde, ils traînent par terre !

Deux jours s'écoulent.

Je m'occupe de tâches mineures. Des qu'a pas besoin

de te les narrer sinon tu te plumerais comme cent rats morts derrière la grande malle du grenier. Moi, auteur avisé, je ne te rapporte que le fin du fin, le top ! Les broutilles comme fatalement il nous en échoit des flopées, je les passe aux oubliettes sans accusé de perception.

T'aurais quoi à cirer que je te bonnisse l'affaire des diamants volés par un employé indélicat de la joaillerie Dunœud ? Ou bien l'auteur des lettres anonymes que recevait le président Burnecreuse ? La vie fait pas que pétarader, il lui arrive de ronronner. Galoper, c'est l'exception pour les bourrins, la plupart du temps ils marchent normalement.

Que donc, j'usinais en père peinard sur une histoire de fausses factures d'hôpital quand voilà mon « bip-bip » qui se met à tintinnabuler. Ah ! oui, parce que je ne t'ai pas dit, mais la dernière trouvaille d'Achille c'est d'équiper ses troupes d'élite de cet appareil afin de pouvoir les alerter à tout moment. Maintenant qu'il en existe à longue portée, il veut que son brain-trust trimbale ça en fouille, tout comme les toubibs dans les hostos. S'il t'a besoin, le Pelé, il déclenche ton alarme et ce qui te reste à faire, c'est de tubophoner sur sa ligne privée.

Ce machin, j'arrive pas à m'y faire. C'est une forme d'espionnage, je trouve. Ça porte atteinte à la liberté. C'est un glave à la gueule de la dignité. Ça te place esclave rémunéré. Tu case-de-l'oncle-Tome avec cette mignarde centrale sur toi ! Chienchien sifflé ! La honte !

Et c'est toujours dans les moments pernicieux qu'il te sonne, le Tondu, j'ai remarqué. Il a le don d'inopportunité.

En ce moment, je suis en train de bien faire avec une jolie grand-mère de vingt-cinq piges, toute blonde, encore dorée de ses dernières vacances au Club. Je l'ai rencontrée voici deux plombes, au moment qu'on cherchait, elle et moi, quelques mètres carrés de pavés pour remiser nos tires respectives. Une place de toute beauté s'offrait. J'avais la priorité. Mais devant la mine

éplorée de la mutine, je la lui ai gracieusement laissée,
ce dont elle m'a adressé un baiser, dans sa joie. Le
Seigneur se montrant d'une équité folle avec ma
pomme, voilà que, pile au moment où j'allais poursuivre ma recherche, un gonzier déboîte à quelques
encablures. Un Arbi à lunettes, style Petroleum
Company, au volant d'une ricaine bourrée de chromes
comme une salle de bains. Que hop! hop! hop là! je
m'insère dans l'alvéole libéré. Derrière, la gracieuse
acharnait pour gagner sa Golf j'ai tes « i ».

Alors moi je m'approche pour lui rectifier la manœuvre. Braquez tout! Redressez! Tout ça bien, les
conneries d'usage. Elle froisse l'aile avant d'une CX,
l'aile arrière d'une Fiat et parvient à remiser son
carrosse. Moi, galamment, de déponner sa portière.
Descendez, belle princesse!

Drôlement payé de sa galanterie, le Sana! Elle
portait une minijupe côté ras-de-touffe et un slip si
étroit qu'elle aurait eu meilleur compte d'utiliser une
ficelle à gâteau. Je morfle des éclats de chatte dans les
carreaux et souris Colgate! La môme me dit que qu'est-
ce j'sus gentil. Ju rétroque qu'un coup de foudre ne
peut, en aucun cas, s'appeler une gentillesse. Elle
m'œillade assassine! Message reçu cinq sur cinq, en
plein dans mes testicules favoris! Je lui rappelle qu'elle
m'a adressé un baiser depuis son volant mais que
j'aimerais bien changer cet assignat contre de la vraie
mornifle. Pas bégueule, elle me pose un bec sur la joue.
Je m'arrange pour que ça dérape sur mes lèvres. On se
trouve à son goût. C'est plein de joies et de promesses.
Bite et cul en fiesta illico! La vie, quoi, comme je dis
puis souvent à la brave reine Fabiola, toujours si triste
de mal baiser.

Elle m'annonce qu'elle est pressée, vu qu'elle a
rendez-vous chez le dentiste et qu'elle est à la bourre.
Elle estime la prestation à une petite plombe. Qu'à cela
ne tienne, Etienne, je vais te vous attendre au bar qui
est au coin de la rue Chopesa et de l'avenue Tulascoux.
Quand on sort de chez un réparateur de dominos, on a

besoin de se rincer le bec avec autre chose que sa
saloperie mentholée. Elle en convient; s'engouffre
deux cochères plus loin. J'ai le temps d'apprécier son
cul pommé, ses jambes parfaites, sa taille « bien
prise », comme disaient les bonnes gens de jadis.
Démarche de tennis-woman. Je me promets bien du
bonheur. Les gonzesses, je les connais comme si je me
les étais faites! Je suis prêt à te parier une phlébite de
cheval contre un cheval de frise que c'est du tout cuit,
avec ma jolie tomobiliste.

Je fonce déposer l'aspirateur de m'man chez le
réparateur, étant donné qu'il n'aspire plus (pas le
réparateur, l'aspirateur). N'ensuite de quoi, je me mets
en quéquette d'un petit hôtel fripon pour couples de
passage.

Et te dire si j'ai le fion bordé de nouilles (l'eusses-tu
cru?) : à deux rues de là, tu as *L'Etincelant Hôtel*, ex-
*Mon Bijou, Gustave Lagrosse propriétaire. Eau cou-
rante, chaude et froide.* C'est ce qui me décide. Comme
j'adore me lancer des défis, j'entre, loue une carrée
comme quoi je vais reviendre d'ici peu; je paie cash,
attrique un pourliche qui va permettre à la taulière de
se refaire faire une permanente, dont elle a plus eu
depuis les accords de Yalta et vais au troquet indiqué à
la jolie blonde. Surprise (en anglais, *surprise*) : elle est
déjà là. Comme elle avait paumé son tour, l'assistante
de son arracheur de chailles lui a fait une réflexion
déplacée, alors elle s'est pétée avec elle et n'a pas
attendu son prochain tour! Je cigle sa conso au loufiat
venu s'enquérir de la mienne.

— Ne perdons pas de temps, lui dis-je, la vie est trop
courte.

Elle ouvre grand ses fanaux.

— Mais, pour aller où?

Ma pomme de lui montrer la clé de la piaule au creux
de ma main.

— C'est décidément notre jour de chance, fais-je.
Figurez-vous que nous venons de gagner un voyage
d'une heure au petit hôtel de la rue Jean-Reveux.

Elle suffoque. Un emballage aussi express, elle savait pas que ça pouvait exister de nos jours ; croyait que, depuis l'âge de la pierre taillée, les mâles ne sautaient plus sur les femmes sans même savoir leur nom. Je lui démontre que, jusqu'à présent, elle n'a pas rencontré d'homme déterminé.

Et tout cela, on se le dit en allant à *L'Etincelant Hôtel*, ex-*Mon Bijou*.

Je te raconte par souci. Je pourrais évidemment gazer sur la chose, mais c'est pas ma faute si je suis un consciencieux. Le vrai auteur de tradition ! Pas les coups de : sacagne, théâtre, fourrés, uniquement. Un récit, faut qu'il aille l'amble, avec moi. Je ne saute rien, sinon les gonzesses.

Et dans la chambrette où, je ne comprends pas pourquoi ça sent la musette ayant contenu du poisson, le chou à cuire et le foin trop sec, j'y vais de mes performances. Le sommier, je te raconte pas : c'est la Grande Armée vaincue se radinant de Russie par des chemins ravinés. On entend limer à tous les étages. A çui qui couvrira (si je puis dire) les autres ! Mais c'est pas déplaisant, ce circus, une fois en passant ! Tu retournes collégien, l'époque que tu grimpais des putes compatissantes qui te faisaient des prix et te cloquaient des chaudes lances bénévoles au lieu du S.I.D.A.

La blonde en cucul jupe, j'avais toute de suite pressenti la bonne affaire. De la baiseuse sans complexe. La môme qui monte aux asperges avec appétit, un peu comme on se fout à table quand on a la dent. Je lui propose une séance récréative sans inventions téméraires, me cantonnant dans les grandes figures classiques, dûment éprouvées : « le pas des lanciers », « les Cosaques dans la plaine », « la prise du fortin » ; tout ça entrecoupé d'accalmies mutines, histoire de taquiner le désir et faire grimper la môme aux rideaux. Elle est docile, contente, coopérante. Tu croirais qu'elle danse en s'efforçant de s'harmoniser un max avec son cavalier.

Et alors jusque comme je lui manigance la troussée

épique, oui, juste comme, un grésillement retentit, faiblard par rapport aux hurlements du sommier, mais insidieux, lancinant. Mon « bip-bip » ! Charognerie ! Le Vieux, je voudrais lui coller ses poils de cul sur la tête ! Tant pis, qu'il attende ! Je redouble de frénésie, dominer la situasse. Mais au bout de peu, la môme s'arrête de démener du trésor et murmure :

— Qu'est-ce que c'est, ce qu'on entend ?

— Mon « bip-bip », lui réponds-je. On m'appelle.

Le charme est rompu. Je me lève pour stopper le zigounet. Je la regarde, le zifolo indécis, dodelineur.

Elle veut savoir à quoi ça correspond. Qui me demande ? Je lui explique. Elle est ravie, la gosse.

— Ah ! tu es flic ! Formidable ! Va répondre, tu m'expliqueras ce qui se passe !

— Tu ne veux pas qu'on finisse d'abord ce qu'on a si bien commencé ?

— Non, va répondre, Chouchou !

Moi, Chouchou, je tolère pas. Je trouve que ça fait glandu. Une gonzesse me dit « Chouchou », ou bien m'annonce qu'elle veut me faire un « poutou », je mets les chaises sur les tables, je ferme le gaz et je me casse !

Une petite blablution à coquette avant de me recarpiller, je me saboule et dévale chez la dame hôtelière lui demander la permission de téléphoner. Elle me frime d'un air navré.

— Je suis en dérangement, mon pauvre monsieur.

Merde ! Elle m'indique une cabine publique sur le boulevard voisin. J'y vais. Elle est saccagée à mort, bien qu'étant à cartes magnétiques. Le vandalisme est devenu un sport, désormais. Rageur, je pars dans un troquet.

Enfin, j'obtiens le Dabe.

— Vous en avez mis du temps, San-Antonio !

— J'étais en train de baiser, monsieur le directeur ! lui risposté-je plein cadre.

Alors là, il déconcerte, le Déchevelé. Ça la lui coupe, sa grande gueule farineuse. Il hésite entre l'éclat et la plaisanterie. Se décide pour la seconde ternative.

— Navré de vous couper la chique, mon garçon. C'était bien ?

— J'ai connu mieux, mais j'ai également connu pire, monsieur le directeur. On ne mange pas tous les jours du caviar !

— Arrivez le plus vite possible.

— Entendu !

C'est en roulant sur le quai que je me rappelle la greluse qui m'attend toujours, les jambes en V, à *L'Etincelant Hôtel*. Préoccupé, je suis retourné automatiquement à ma tire et j'ai démarré sans songer à la jolie blonde. Tu parles d'un mufle ! Que va-t-elle penser de moi ? Qu'est-ce que tu dis ? Que ça n'a pas d'importance ? Ah ! bon, tu crois ? Que c'est une petite pétasse de merde ? T'es sévère, mec. Même avec une pétasse faut rester galant. Bon, je lui enverrai des fleurs pour me faire pardonner. Comment ? Je n'ai ni son nom ni son adresse ? Alors je ne lui en enverrai pas. « L'intention vaut l'action », disait ma grand-mère.

Chilou, ce jour-là, il rutile. Porte un costar clair, ce qui n'est pas dans ses habitudes. Un gris léger avec une limouille pervenche et une cravetouze à rayures blanches et bleues. Sa rosette, là-dessus, c'est la cerise confite par-dessus la coupe glacée à la crème Chantilly !

Il paraît urbain, joyeux. M'est avis qu'il s'est fait magistralement étinceler avec une souris dévergondée.

Mathias est assis en face de lui, jambes croisées. Pas du tout sa position foutriquette habituelle qui, en face du Dabe, lui fait serrer les miches, les genoux, les dents, les burnes et encore mille autres trucs qui ne me viennent pas à l'idée, mais si tu y tiens, je pourrai te compléter la liste en rentrant de chez ma crémière.

Lui aussi rayonne. Clair obscur. Un Rembrandt.

J'enregistre ces deux êtres en parfait bien-être et les complimente d'un sourire altruiste.

— Voilà le petit polisson ! exclama Sa Grandeur

Rasibus Ier. Mais c'est un composteur que ce diabolique garçon !

Il me gratule : poignée de louche façon homme d'Etat devant l'objectif. (Vous pouvez recommencer, monsieur le président ? J'avais un mauvais réglage. Merci. Comme cela ! Oui ! Bien, continuez encore deux heures. Et que je te bras-de-pompe-à-merde ! Bonjour, bonjour. Ça va ? Ça va ! Et votre dame, toujours ses hémorroïdes qui l'empêchent de se laisser sodomiser ? Etc.) Il poursuit avec quelques claques sur l'épaule et une bourrade qui aurait mis Pinaud k.-o.

— Vous connaissez la nouvelle, San-Antonio ?

La nouvelle quoi : Calédonie ? Bonne du bistrot d'en bas ? Zélande ?

— Pas encore, patron.

Il mouille toujours lorsque je l'appelle patron. Mais faut pas que ça soye six thèmes attiques. Bien placer cette espèce de familiarité. Y mettre le ton : onction, lotion, caramel, papier cul.

Il me désigne le Rouquemoute.

— Ce môssieur-là vient d'être nommé directeur du laboratoire de police technique !

Je ris large comme une césarienne de l'ex-reine Juliana. Des mois que j'intrigue pour cette promotion ! Dieu sait (et moi aussi !) qu'il la mérite, ce grand garçon sage. Lui saute au cou pour une double bise fougueuse.

Mais il a une crispation.

— Pas de familiarités, je vous prie, commissaire ! me chuchote-t-il.

Textuel ! Ai-je bien ouï ? Oui ! Lui : un échalas roux que j'ai réchauffé sur mon cœur généreux ! Promotion importante, et ça devient spontanément M. Tronche-Enflée !

Tu crois que je vais laisser passer ça ? Dis, tu le connais ton Sana, non ? Plus Français que lui, tu meurs.

— Tu plaisantes ou t'es sérieux, Rouquemoute ? je l'à-brûle-pourpointe.

Mon regard féroce ne le fait pas ciller pour autant. Il répète en articulant bien :

— Je considère, commissaire, que mes nouvelles et importantes fonctions ne sont pas compatibles avec un laisser-aller de langage qui, déjà, paraissait déplacé lorsqu'il s'adressait à un subalterne.

Je me tourne vers Achille.

— Est-ce que vous entendez ce que j'entends, monsieur le directeur ?

— Tout à fait, réplique Pépère, et je dois dire que j'approuve pleinement la réaction de M. le directeur du laboratoire de police technique. La familiarité engendre le gâchis, San-Antonio. Votre nature impulsive et gavroche vous y pousse, mais il convient de la brider. Réservez dorénavant vos saillies de bistrot au répugnant Bérurier qui les apprécie !

Alors là, ils me flanquent la chiasse noire, ces deux ! Je regarde l'Incendié ! Le Mathias nouveau est arrivé ! Ce mec, je l'ai fait ! Et une fois terminé, il m'envoie chez Plume ! Oh ! non, je te jure, la vie, quelle sinistre rigolade. Quelle leçon ! On est tous des endormis. On existe à tâtons. Avec une canne blanche ! Mais dès que tu te mets à y voir clair, t'as une monstrueuse boule de coton dans le gosier.

Je reste là, les mains au dos. Ça joue la *Marche Funèbre* dans mes tréfonds.

— Et dire que vous croyez exister, je murmure.

N'après quoi, je tourne les talons pour la porte. A moi la liberté !

— Où allez-vous, San-Antonio ! tonne le Dirluche de mes pauvres deux.

— Respirer ! fais-je.

Des fois qu'en me remuant les meules j'arriverais à *L'Etincelant Hôtel* avant que la blonde ait remis son slip pour rire ! Je reprendrais bien nos prouesses là que je les ai interrompues.

— Restez ici, San-Antonio, je vous l'ordonne !

Seigneur ! Cette volte-face !

— C'est à moi que tu parles, Baderne ? je demande au Vieux. Tu m'ordonnes ? J'ai bien entendu ? Tu m'ORDONNES ? Non, mais ça va pas, la tronche !

C'est le gâtisme total, alors ? Le schwartz définitif !
L'allumeur de réverbères est à la retraite, monsieur
Mon Genou borgnonne ! Tu te crois à Zanzibar, au
siècle dernier ? T'as été marchand d'esclaves dans une
vie antérieure, Vieux Nœud !

Mathias se met à égosiller :

— Je vous interdis d'insulter M. le directeur ! C'est
scandaleux ! Sortez immédiatement ou j'appelle !

Un qui aurait mieux fait de rester devant son
Dubonnet, c'est bien cézigo !

Ce taquet au bouc ! Ça le décolle de la moquette, le
soulève de vingt centimètres cubes au moins ! Il est
groggy complet ! Etalé au tapis, bras en croix. La
gueule un tantisoit tordue par mon crochet mémorable.
M. le directeur du laboratoire de police technique va
devoir s'alimenter fluide pendant quelque temps !

Je me penche sur le bureau d'Achille, pétrifié.
J'empare une feuille de son bloc et en quatre lignes et
un point final, lui rédige à bout portant ma démission.
Signe !

Voilà. Lui, machinalement, il regarde le texte. S'empare de la feuille, la déchire menu.

— Votre démission, monsieur ? fait-il d'un ton glacial. Que nenni ! Je vous radie !

— Rose ! ajouté-je.

— Pardon ? il demande.

Je lui explique :

— Je vous radie... rose ! Radis rose ! Si vous n'étiez
pas une momie dans un sarcophage, ça vous ferait
marrer ! Mais les morts ne pigent plus les calembours,
mon pauvre Achille ! Allez, on s'est assez vus, je vous
souhaite le bon suaire !

QUAND LE VIN EST TIRÉ

Je fais halte dans mon bureau pour un ramassage de mes affaires personnelles, comme on dit ! L'expression me fait toujours pleurer les fesses vu que, jusqu'à ce jour, je ne me suis encore jamais découvert d'affaires qui me soient réellement « personnelles ». Même mon slip est susceptible d'aller à quelqu'un d'autre de ma corpulence ; ma brosse à dents de fourbir d'autres ratiches après qu'on l'eût désinfectée par mesure de précaution ; et mon unique dent en or (une prémolaire) de redevenir une pépite anonyme.

Néanmoins, je pêche dans mes tiroirs quelques stylos dont j'ai mordillé le capuchon en cherchant des inspirations, deux portraits de m'man dans un petit porte-photos de cuir, une jarretelle à fleurettes brodées que m'offrit une conquête dévergondée, un coquillage ramassé sur une plage, un petit morceau de brique prélevé sur un édifice de Shiraz, un cure-oreille d'ivoire ouvragé en provenance de l'Inde mystérieuse, une touffe de poils de chatte incroyablement blonds qui me resta entre les dents certain soir, quelques billets de banque en provenance de différents pays où mon destin m'amena à traîner mes couilles, un sachet de pistaches salées, *Crime et Châtiment* publié dans la Pléiade, la photo dédicacée de Renaud, celle, non moins dédica-cée de Patrick Sébastien, et enfin un mètre (de deux mètres) à enrouler, qui me servit naguère à mesurer le paf de Bérurier à la suite d'un litige (398 millimètres, merci pour lui!).

Je fourre le tout dans un sac de plastique et passe dans le local voisin où Pinuche fait semblant de ne pas dormir derrière un journal. Histoire de souscrire une ultime fois à la saine tradition, je mets le feu au canard. Une flamme joyeuse lèche le bas du baveux, s'étale et grimpe à la conquête des doigts pinulciens. César est réveillé en sursaut. Il lâche *France-Soir*. N'étant pyromane que pour blaguer, je l'éteins sous mes semelles.

— Ça ne m'étonne pas de toi! fait-il avec son tendre sourire indulgent jusqu'à se pisser dans le froc.

— Je viens te faire mes adieux, lui dis-je. C'est fini, la Rousse, pour moi!

Tu penses qu'il égosille, trémole, lamente?

Alors là, tu le connais pas, le chérubin. Simplement, il s'arrache à son siège, ce qui produit une série de craquements en chaîne, comme quand tu prépares du petit bois pour le feu.

— Je crois que tu as raison, déclare-t-il, elle n'est plus ce qu'elle était, ni ce qu'elle devrait être. Personnellement, je m'y ennuie, aussi vais-je t'imiter.

Sans autre.

— Tu prends ta retraite? questionné-je.

— Oui. Je trouverai bien quelques petits travaux de filature à faire pour une officine privée, histoire de garder le contact. Et toi, tu vas te reconvertir dans quoi?

— Je n'y ai pas encore pensé. Peut-être vais-je prendre une année sabbatique?

Nous nous apprêtons à quitter la Grande Merderie lorsque je m'aperçois qu'une frange du canard se consume en douce. De nouveau je piétine le baveux. Et c'est en accomplissant cette action salutaire que j'aperçois, sur deux colonnes, la photo du vicomte Hugues Capet de Flatulence. Le titre? « Torturé puis abattu à son domicile d'une balle dans la nuque. »

Oh! dis, l'effet que ça me produit. A l'instant, je cesse de trembler de rage pour lire l'article. Ça raconte qu'hier matin, au 320 de la rue Jean-Darmapied, quand la femme de ménage s'est pointée, elle a trouvé le vicomte mortibus dans sa cuisine. On lui avait brûlé les mains sur la flamme de sa cuisinière à gaz. Détail singulier (pour mes confrères et la presse), on n'a rien volé chez le pauvre bouffeur de culs. Sa montre en or, sa gourmette à ses armes, et une somme de quarante-six mille huit cents francs ont été retrouvées dans l'appartement, ce qui donne à penser qu'on ne l'a pas torturé pour lui faire dire où se trouvait sa fraîche. Ou alors qu'il possédait des biens autrement plus précieux que le fric et les bijoux. La Brigade criminelle interroge les familiers du vicomte : des dames pour la plupart, dont son carnet d'adresses est plein !

— Tu viens ? me demande Pinuche en réprimant un bâillement sponsorisé par la Metro-Goldwyn.

— Je viens ! fais-je en laissant retomber le feuillet en partie calciné.

Félicie, elle est perplexe d'apprendre que je viens de larguer la Poule. À la fois contente de voir son grand à l'abri des mille dangers de ce dur métier, mais soucieuse pour mon avenir. Et puis qu'on ait refusé ma démission pour avoir le plaisir de me licencier, ça l'ulcère, m'ma. Les Dauphinois, ils sont plutôts fiers. Gentils, ça tu peux y compter, mais faut pas chahuter leur honneur. Elle est écœurée par cet Himalaya d'injustices ! Un homme comme moi ! Toutes ces enquêtes réussies ! Ces morceaux de ma chair laissés aux barbelés de cette sacrée profession ! Ces nuits d'insomnie ! Ces coups de main en comparaison desquels les délireries du père Rambo ressembleraient à un feuilleton de la *Semaine de Suzette* d'avant-guerre ! Oui, toute cette chevauchée éperdue, toutes ces actions d'éclat, ces sacrifices ; pour du beurre ? Au bout de l'épopée tu te fais congédier comme un serviteur indélicat ! Non, non, pas possible ! Elle assure qu'il s'agit là de coups de tête impétueux. Des excuses vont suivre. Des bourgeois de Calais s'amener à genoux, la corde au cou, pour m'apporter les clés de la Maison Pébroque ! C'est pas la *first* fois, après tout, qu'on a nos humeurs de viandus aux règles douloureuses, Achille et moi ! Par le passé, on en a surmonté, des méchantes prises de bec, des adieux éternels qui s'achevaient dans des effusions de camomille.

Je secoue la tête.

— Non, non, tu n'y es pas, ma chérie. Même si le dirlo vient sucer mes mocassins en m'offrant la dernière montre de chez Cartier, je ne remettrai plus la gomme. C'est râpé, archifini. Ils m'ont flanqué la gerbe, Mathias et Pépère. Surtout Mathias. Après tout ce que nous avons vécu ensemble ! Tu ne te rends pas compte, ma mère chérie ! Un bout de galon que je me suis décarcassé à lui faire obtenir et il m'envoie aux pelotes, ce rouquin qui défèque dans son slip sitôt que sa femme lui ordonne d'aller acheter un paquet de Bonux !

— Les êtres sont faibles, Antoine. Sa récente promotion l'a chaviré.

— Alors, s'il a chaviré, qu'il coule corps et bien, le sale connard.

— Tu veux que je te fasse une blanquette pour ce soir, mon grand ?

— Non, puisqu'on n'a pas Apollon-Jules aujourd'hui, je vous offre le restau, à toi et à Toinet.

Maria, notre ancillaire espanche écoute, à l'affût derrière l'horloge bressane.

J'ajoute :

— Et j'invite également Maria !

Alors là, c'est le délire. Depuis que je lui ai carré la grosse, un soir de spleen et de solitude, notre bonne part en langueur. Ses regards, à la gentille *señorita* Poilaupattos, tu dirais du chewing-gum qu'un gamin tire de sa bouche. Et ses soupirs, dis ! Tu les as entendus, ses soupirs ? Le dégonflement du *Graf Zeppelin* quand messieurs les boches voulaient l'expédier par la poste !

La maisonnée s'équipe et on part à la conquête d'un restau d'une haute tenue morale, car je déteste ces

crèches à merdophages où les gens font la queue pour
aller claper des steaks extra-minces faits avec des
mouches mortes et des crottes de nez compressées.

T'as des mecs qui festoient pour célébrer leur promotion, moi je fais la nouba pour fêter ma destitution.
Curieusement, je ne me soucie pas de l'avenir. Je me
fais confiance. Dans le fond, je trouve même plutôt
exaltant de bifurquer en pleine carrière pour entreprendre autre chose. Mais quoi ? Le commerce, faut pas y
compter. Jamais je ne serai un gestionnaire convenable. Créer une agence privée ? Fume ! Filocher des
dames adultères jusqu'à l'hôtel de la *Grosse Membrane,* c'est pas juteux comme sensation. Tu tournes
vite minable ! Cafter des petites bourgeoises dévergon-
dées à leur mari, ça manque d'envolée. Je connais des
missions plus nobles ! Bon, alors écrire ? Pondre du
polar comme il m'arrive déjà ? Intensifier le turbin en
m'achetant une machine perfectionnée et des dicta-
phones ?

M'man me visionne par-dessus le menu ; folle d'in-
quiétude pour son « grand ». La môme Maria, quant à
elle, la voilà qui rame de la jambe droite sous la table
pour tenter d'atteindre mes pinceaux (que j'ai soigneusement planqués sous mon siège). Elle a déjà le menton
au niveau de la nappe, à force de pousser loin l'expédition. Juste Antoine qui jouit vraiment de ce dégage-
ment. Il demande la perm' de faire un repas de
desserts. Entrée : profiteroles. Plat de résistance : œufs
à la neige. Dessert : sorbet au coulis de framboises.
M'man refuse, biscotte l'inéquilibre d'un tel choix. Elle
oppose farouchement les protéines, vitamines, sels
minéraux, aux convoitises du gamin. Elle en connaît
aussi long que le meilleur des diététiciens, ma Féloche,
pour ce qui est de l'alimentation des enfants. Toinet
accepte un compromis : il attaquera par un cœur de
filet avec des pommes frites. Il promet de bouffer sa
viande intégralement, moyennant quoi il aura droit à
deux desserts. Correct, non ?

Je m'arrache à mes réflexions pour « animer » la

sortie. Je raconte l'histoire du juif sur la pierre tombale duquel sa famille a fait graver : « Ici repose Samuel Goldenberg 1919-1986. Mais la vente continue 216, rue d'Aboukir. »

Ça ne fait marrer personne. M'man parce qu'elle n'a pas pris garde à ce que je racontais, Maria parce qu'elle est trop conne pour piger, et Toinet parce qu'il ne sait pas, Dieu merci, qu'il existe des juifs, et a fortiori, des non juifs. J'encaisse mon bide.

Et alors, ce que tant j'ai retardé me choit dessus avec les intérêts de retard. Voilà que je me mets à penser au vicomte bouffeur de chattes torturé et assassiné à son domicile. Il m'apparaît gros comme la Maison de la Radio qu'il a été « exécuté » par ceux qui s'occupent du nettoyage des mystérieux « techniciens ». A Copenhague, les tueurs ont compris qu'ils avaient raté leur proie. Ils sont parvenus à déterminer que le quatrième homme avait été aidé par Hugues Capet de Flatulence. Comment ? Je suppose qu'il s'agit d'une organisation vachement « épaulée ». Ils doivent posséder des antennes tout azimut, ces gens ! Ayant retrouvé le vicomte, ils lui ont fait dire où s'était barrée leur proie. Je doute que le pauvre bouffeur ait pu résister au traitement des mains carbonisées. Il a dû s'affaler. Ensuite, ils l'ont neutralisé complet et sont partis sur les traces de l'agressé du Tivoli Park. L'autre est-il parvenu à se planquer dans l'immense Groenland ? La plus grande île du monde ! Un socle de glace haut de 3 000 mètres et frangé de terres pauvrettes. Ce dégueulasse de Mathias a-t-il pris des renseignements, ainsi qu'il me l'avait proposé ? Sait-il le nom et la profession du *dernier des quatre* ? C'est maintenant que je mesure mon impuissance. Ne disposant plus du formidable outil policier, je ne puis recueillir aucun tuyau sur les individus, ni contacter aucun service étranger. Je me sens démuni, tout à coup, et orphelin, socialement.

Dans un instant d'inadvertance, j'ai oublié de garer mes panards des entreprises de la bonne et faut voir comment qu'elle astique son escarpin après le bas de mon futal, la gueuse ! Elle bredouille des yeux et des perles de sauce hollandaise tremblent dans sa moustache. Tu sais qu'elle me convoite à mort, la *señorita* ? Probable qu'elle doit m'aimer, après tout. J'en suis touché, brusquement. Faudra que je lui place une seconde ramonée, un de ces quatre soirs ; qu'elle touche les dividendes de sa passion.

En filigrane, je continue d'évoquer l'affaire de Copenhague. Je la trouve vachement mystérieuse, excitante.

Félicie qui chipote sur son ris de veau murmure :

— Donc, demain, tu fais la grasse matinée, Antoine ?

Et moi, tu sais quoi ? Je te jure que je n'y peux rien, ça me vient tel quel :

— Non, m'man. Demain, il faut que j'aille au Danemark.

Depuis notre pavillon, je tube à l'agence de voyages qui s'occupe de mes déplacements. Je leur demande de me réserver un bifton sur le vol de Copenhague, en précisant qu'à partir de dorénavant ils devront établir la facture à mon nom et l'adresser à mon domicile. C'est plus la Cabane Sinoque qui douille !

— Vous vous êtes mis à votre compte, monsieur le commissaire ? plaisante le préposé.

Je lui réponds que « tout juste ». Je me sens d'excellente humeur. Il fait beau en ce début d'octobre. C'est un joli mois quand le temps veut s'en donner la peine. Les feuilles roussissantes, le ciel qui a ses émois d'automne, tout bien, la vraie compofranc que je te disais à propos de mes choses-frères.

Je finis de me loquer quand la clochette fêlée de notre portelle (que je ne voudrais remplacer à aucun prix) carillonne.

Je coule un z'œil déjà agacé par la fenêtre et j'aperçois tu sais qui ? Béru et M. Blanc, côte à côte dans l'allée conduisant à notre maison. Ils paraissent graves comme les magistrats qui se pointaient jadis dans le quartier des condamnés à mort pour annoncer à l'un de ceux-ci qu'il allait y aller du cigare. Sauf que ces sinistres visiteurs n'avaient pas un moufflet dans les bras.

M'man reçoit l'étrange trio. Elle propose des boissons que Bérurier accepte. Non, non, pas d'caoua, maâme Félicie, dérangez-vous pas : un coup de blanc suffira à mon bonheur.

J'entends gazouiller Apollon-Jules, ravi de retrouver ma vieille, la maison, ses jouets. Il est chez lui, chez nous. Félicie est devenue sa véritable maman.

J'achève de nouer ma cravate et je descends. Quatre zyeux sont braqués sur moi comme quatre colts de western. Mais les orifices des colts ne pleurent pas alors que ces quatre z'œils-là ont chacun une larme en bandoulière.

— Alors, les Frères Ennemis ! lancé-je. Quel bon vent ?

— On vient en pleine hypotenciaire, m'annonce Sa Majesté crémeuse.

Il est relayé par Jérémie :

— Figure-toi que ce matin en arrivant à la Grande Boutique, on apprend la nouvelle te concernant. Ça ne fait qu'un cri là-bas : « Sana nous quitte ! Il s'est pété avec le Vieux et on l'a jeté. » Tu verrais ces frimes consternées ! Alors on a constitué une délégation et nous sommes allés trouver le Vieux pour lui demander de rapporter sa stupide décision. Il s'est laissé fléchir sans faire trop d'histoires et il accepte de passer l'éponge à condition que tu viennes lui faire des excuses.

Le silence qui suit est wagnérien. M'man a les yeux brillants de joie. Mes deux potes, réconciliés pour la circonstance, attendent en frémissant d'impatience.

— Ecoutez, les gars, murmuré-je, son éponge, au Vieux, vous lui direz qu'il se la passe sur le crâne pour enlever son fond de teint de vieille pute. Non seulement je ne lui ferai pas d'excuses, mais il se roulerait à mes pieds en me présentant les siennes que je ne reviendrais pas sur ma détermination. La Poulaille, c'est terminé pour moi. Je tourne la page !

Baoum ! Ils branlent leur chef, désorientés.

— Tu en as de bonnes, soupire Jérémie. Tu m'as fait entrer dans la police et voilà que tu me laisses au milieu de tous ces glandeurs. Qu'est-ce que tu veux que je fasse, sans toi ? Si c'est ça, je retourne à la voirie. Au moins, dans cette corporation, je suis à l'air libre !

Un profond désenchantement « assombrit » sa voix. (La seule chose claire qu'il y ait en lui, merde, c'est pas de bol !)

Béru déclare simplement :

— Si t'es décidé à pas reviendre, Sana, je cloque ma démission.

— Et tu feras quoi ?

— A moins qu' tu montes un job où c'que j'aurais d'l'emploi, je vendrai ma ferme familiale de Saint-Locdu-le-Vieux, et n'avec l'artiche, j'achèterai un bistrot dont nous tiendrions, moi et Berthe. Elle s'ra pas dépaysée vu qu' c'était son premier métier et qu'é l'en n'a jamais eu d'autre. On spécialiterait dans l'andouillette et l'boudin grillé aux deux pommes. C's'rait une situation pour, plus tard, Apollon-Jules. Car d'nos jours, l'instruction, il sert plus à rien n'autre qu'à faire des chômeurs.

— Eh bien ! vous voyez, les mecs, exulté-je, le recyclage fonctionne ! Chacun trouve sa voie : Jérémie c'est la voie publique et le Gravos celle du zinc !

— Et toi, malin ?

— Moi, dis-je, pour l'instant, je m'offre des vacances au Groenland.

Le Mastar qui n'est pas tombé de la dernière pluie réalise illico.

— L'affaire du mec que l'vicomte a sauvé au Danemark.

— Tu n'as pas lu les baveux ?

— Jamais. Pour quoi faire ?

— On l'a buté, le vicomte. Du coup, tout ce qu'il m'a révélé devait être vrai. Ce qui revient à dire que

le type traqué va être zingué avant longtemps, si ce
n'est pas déjà fait !

M. Blanc a un sourire bénin.

— Et tu veux quitter le métier ? Mais pauvre
homme, tu continues à l'exercer à titre personnel. Tes
moyens d'existence te permettront-ils longtemps de
faire de la police en amateur ?

— Là, il s'agit simplement d'assistance à personne
en danger, Noirpiot ! Bon, il est temps que je file à
l'aéroport. Puisque vous êtes voiturés, vous voulez bien
m'emmener ? Ça m'évitera de me faire tarter avec les
questions de parking.

Y a effusions dans la salle d'embarquement où mes
deux potes m'ont accompagné, excipant de leurs cartes
de flics. Lorsque l'appel retentit, nous nous étreignons
silencieusement, les trois, en hommes qui traversent
une dure épreuve.

— Dès ton retour, donne de tes nouvelles ! recom-
mande M. Blanc.

— Juré.

— Et là-bas, n'oublie pas ta petite laine, paraît que
les nuits sont frisquettes, au Groin lent, ajoute Béru.
De même, grand, gaffe-toi des bastos qui risquent de
voler bas vu étant donné les gens que t'aurais affaire.

— Tu sais bien que la seule différence existant entre
Superman et moi, c'est qu'il peut voler mais que je
baise mieux que lui.

On s'entre-sourit triste et j'engouffre dans le tunnel
coudé menant au zinc. Curieusement, je me sens léger,
neuf, dégagé de toutes contraintes.

Une hôtesse irréellement blonde, avec un regard
d'exquise salope, m'accueille. Son français est aussi
performant que mon danois, mais quelle importance ?
Quand on prend son pied, chacun son dialecte, non ?

C'EST AU PIED DU MUR
QU'ON VOIT LE MATON

Tel que je le sais, cet enculé de Mathias (pardon : M. le nouveau directeur du laboratoire de police technique) doit déjà avoir un bout de dossier sur l'homme traqué. Son nom, sa profession, ainsi que l'identité des trois autres mecs descendus. Parce qu'il faut lui accorder cette qualité, à l'ingrat rouquin : c'est un bosseur qui accroche. Si je disposais de ses tuyaux, je gagnerais du temps ; mais j'aimerais mieux crever avec la bouche pleine de cancrelats que de le contacter. Ainsi donc, agirai-je par mes uniques moyens.

C'est cela que je décide en caressant la délicieuse cuisse de la jolie Danoise pendant qu'elle dresse mon couvert pour un déjeuner express. L'avion est presque vide. Les Vikings en vacances sont déjà rentrés du soleil afin de retrouver leur grise torpeur, et les Françouzes n'ont pas tellement d'engouement pour visionner Elseneur.

La môme, elle rebuffe pas de ma main ferme jouant à la bébête qui monte, qui monte ! Au contraire, elle s'attarde à étaler mon bout de nappe sur la tablette. Moi, sans me vanter, j'ai un chic pour tomber les hôtesses de l'air, si je puis ainsi m'exprimer. La chasse au canard ! Poum ! poum ! Toutes rôties. J'ai bien réfléchi à la question : c'est un don. Une manière de leur sourire, de leur annoncer ma grosse bitoune savante d'une œillade plus expressive qu'une affiche de la Prévention Routière montrant l'automobiliste chlass en train de se fraiser la gueule, because son alcoolémie forcenée. Neuf sur dix reçoivent le message et me laissent faire l'inventaire de leur culotte. J'ai la technique, là encore ! Le système des bras croisés, histoire de cacher aux autres voyageurs le petit parcours du combattant de la main exploratrice. Mais là, vu que je suis seulabre dans ma travée, pas besoin de finasser. C'est du franco de porc. Bien sûr, elle porte des collants, Ninette. Là, comme ailleurs, j'ai fini par m'organiser. L'homme ne survit que par les parades qu'il lui faut inventer au fur et à mesure que surgissent les obstacles.

Je pouvais pas chialer à la Jocelyn dans mon coin en rêvant bas et jarretelles ! Fallait se décider. Alors un copain chinois m'a filé la recette. Lui, il l'utilisait pour couper l'étoffe des poches car il pickpockettait. L'ongle de l'auriculaire ! Tu te le laisses pousser, et puis tu le façonnes et l'aiguise facon scalpel. Ça devient une véritable petite lame au bout d'un temps. Tu la gaines d'une pellicule de vernis incolore qui peut s'arracher à volonté.

La môme, dès que je lui ai constaté la dure réalité des collants, poum ! Mon auriculaire droit se trouvait en état de marche. Le duraille, c'est les précautions pour pas la blesser. Tu lui entames le clito et elle déjante dare-dare, mam'selle *Fräulein*. Faut y aller dans le suave, en technicien consommé. Travail de chirurgien esthétique ! Sans seulement qu'elle s'en aperçoive, j'incise sa foutue carapace, ensuite le slip. Tu lui apercevrais la stupeur quand elle sent que la route de Chattemoitoute est *open*, la gosse ! Elle est là, frissonnant sous la caresse du premier degré déclencheuse de rosée, sans croire à plus.

Et puis soudain, crac ! Devine qui vient dire bonjour à miss Chattounette ? Messire Médius, l'aîné des cinq frères Mapogne. Elle effare dans sa Ford intérieure, la chérie ! Mais comment se peut-ce ? Par où qu'il est-il passé, le grand polisson ? C'est donc le Passe-Muraille en personne ? En tout cas, c'est vachement joyce comme sensation ! A mille kilomètres heure et dix mille mètres d'altitude, youyouille, la jolie bourre !

Ayant rectifié cent quinze fois ma minuscule nappe, elle a pris le parti de chiquer à la donneuse de renseignements. Une main sur mon dossier, l'autre sur le dossier qui me fait face, elle s'offre presque, Selma ! Pour la vraisemblance historique, elle me débite la fiche technique du Boeing 737. Me la répète en anglais, en allemand, en espagnol, en belge, en suisse romand, en monégasque, en québecois. Puis me récite la table de multiplication. Quand elle arrive à 7 fois 9, ses collègues, qui se la ramènent avec la voiturette aux plateaux, interrompent son début de fade et force m'est de laisser retomber le rideau sur la salle des fêtes.

Mon déjeuner pris, je me mets à réfléchir. Non plus à mon avenir, car, après tout, qui peut se croire assuré d'en avoir un, mais à mon enquête. Le vicomte a été buté voilà trois jours. Donc, les poursuivants de son « protégé » ont eu largement le temps de se mettre à pied d'œuvre et il est presque probable qu'ils ont retrouvé leur proie et l'ont liquidée alors que je me décarcasse pour tenter de la sauver. Peu importe ! J'irai au bout de cette mission que je me suis fixée à moi-même et je suis décidé à découvrir, que le type soit mort ou non, le travail mystérieux qu'il a exécuté avec ses trois autres confrères et pour le compte de qui.

Qu'est-ce qui me motive ainsi ? Peut-être tout bonnement la mémoire du bouffeur de chattes. Ce lunaire charmant dont la désarmante audace rejoignait une forme de poésie. Oui, c'est à sa mémoire que je dédie mon entreprise.

Perplexe, je traîne dans Jakdarthusgade. La voie est paisible, au cœur d'un vieux quartier cossu. Le 18 appartient au coin le plus pittoresque. Il y a des carreaux de faïence autour de la porte d'entrée, représentant des scènes naïves de marché aux poissons. Un soleil décoloré met des ombres pâles dans la rue. Je franchis le porche. Une cour intérieure ravissante me donne illico un sentiment de paix, de joliesse romantique. Les villes n'ont de vraiment beau que ce qu'elles cachent.

Une statue verdâtre, bien qu'elle soit en pierre, brandit un arc sans corde. Comme quoi, tu vois, le surréalisme s'impose même aux artistes les plus classiques. La nécessité les y contraint ! Des fleurs mauves, d'autres rose pâle. Il y a du lierre contre la façade du petit immeuble au fond de la cour... La porte en est laquée dans les tons lie-de-vin avec des têtes de clous dorées grosses comme des têtes de nœud de routiers.

Mon sésame étant de la fête, je n'ai aucune difficulté majeure — ni même mineure — à pénétrer dans l'appartement. Deux pièces, confortables mais en désordre. On est venu mettre à sac le logis du gars. Ça, je m'en gaffais, mais je voulais en avoir la confirmation. Force m'est de me contenter « des restes ». Je dégauchis de vieilles enveloppes qui m'enseignent enfin le blaze de l'homme traqué : Nicolaj Jakobsen. Point essentiel. Reste maintenant à déterminer ce qu'est son mystérieux métier. Compte tenu des remous qu'il suscite, m'étonnerait qu'il soit plombier-zingueur, le Nicolaj. Ces travaux d'Hercule qui entraînent la mort de ceux qui les réalisèrent doivent sortir du commun.

Je m'assieds sur un coin de table, selon une habitude bien ancrée dans mes fesses. Un pied au sol, une jambe se balançant dans le vide. Ça m'aide à réfléchir, j'ai remarqué. Mon regard panoramique sur l'appartement dévasté. « Tiens, songé-je, il n'y a pas trace de femme dans tout ça ! » Voilà ce qui, confusément, me chicanait l'entendement. D'ordinaire, tu vas dans un apparte ; la gonzesse, même absente, te saute aux yeux. Sa personnalité s'y est fortement imprimée. Des vêtements, des fards, plus un je-ne-sais-quoi qui n'appartient qu'à nos chères frangines égaient les lieux. Ici, rien ! Un logis de célibataire. Il prend du rond, Nicolaj ? C'est quoi, son embellie, ce gonzier ? P't'être ne découille-t-il pas ? Ça existe.

Donc : pas de fille dans sa vie. Second point, je note

qu'il y a une forte quantité de livres. Ceux-ci garnissent des rayonnages ou bien sont empilés à même le sol contre les murs. Un intello ! Mais que lisait-il ? Je quitte mon perchoir à meules pour aller vérifier. Là, je progresse. Les ouvrages sont en danois, en allemand et en anglais. Conclusion, il est polyglotte sur les bords. Tous, ou presque, sont des bouquins techniques. Beaucoup ont des formats inhabituels, et comportent des flopées de graphiques. La majorité traitent d'astronomie et d'optique. Est-ce dans cette branche que Jakobsen exerce ses activités ?

Je quitte le logis pillé le plus discrètement du monde, ce qui ne m'empêche pas de me trouver nez à nez avec une douairière canonique dont l'énorme chignon blanc est posé sur la tête comme la pomme du fils Tell. Elle m'adresse la parole en danois. Je suppose qu'il est question de Jakobsen. Je lui réponds en allemand. Par miracle elle parle inconfortablement ce patois ce qui abrège nos relations. Un beau sourire éclatant et je la moule (à gaufre) avec l'intention de rallier mon hôtel, lequel est situé très près de l'aéroport car mon avion décolle très tôt le lendemain matin.

J'appréhende cette soirée morose. Dans ce pays peu folichon, où l'on dîne à dix-huit heures, je risque de me plumer sauvagement. Alors l'idée me vient d'aller faire un tour au Tivoli Park où eut lieu l'attentat contre Jakobsen. Une fête foraine, quand on n'a plus seize ans, c'est pas l'hyper-panard, mais il vaut mieux regarder pétarader des manèges parmi la foule, les lumières et les cris que de morfondre dans la chambre anonyme d'un hôtel fonctionnel en attendant le sommeil.

Cela dit, Tivoli vaut le détour. C'est encore mieux que ce que le vicomte bouffeur m'en a dit. Comme attractions, pardon ! T'as le choix. On est loin de nos « vogues » de campagne, que je souviens dans mes enfances. Y avait le manège de chevaux de bois, les pousse-pousse, le stand de tir et la loterie. « Le 8 gagne un kilo de sucre ! » que proclamait la voix de centaure (comme dit Béru) du forain ! Son lot de bataille, au faux gitan natif de Saint-André-le-Gaz : *the sugar !* L'Attila des diabétiques, ce gus ! La grosse timbale c'était : dix kilos de sucre ! Les lendemains de fête, toute la contrée faisait des confitures.

A Tivoli, ils sont vachetement nucléaires, les manèges ! Avec des fusées bandantes, des engins chromés qui te foutent les foies. Des trucs pas pensables d'où tu ressors avec le tournis, la gerbe et les cannes hydrophiles ! Ça grimpe, ça plonge, ça tourne sur soi-même et autour des autres bidules ! Une reconstitution du système solaire ! Si tu réfléchis que notre putain de planète opère les mêmes mouvements, t'as envie de crier « pouce ! » et de te faire propulser sur n'importe quelle plate-forme inerte, même qu'elle se trouverait dans d'autres galaxies.

J'essaie deux ou trois nouveautés, pour dire de me rendre compte. Comme mon cœur est maintenant au-dessous de ma rate et mon estomac accroché à ma glotte, je déclare forfait.

Vais m'installer dans un restau déguisé en *saloon,* où des dames en guêpière et bas résille, coiffées comme au siècle dernier, te servent des montagnes de charcutaille.

On m'apporte une chope d'un litre de Carlsberg, des saucisses grillées garnies de frites. Les nourritures populacières sont les plus savoureuses, dans le fond. En piquant des doigts dans le banneton de carton, je pense qu'il se trouve au même instant des gens en mondanités dans des restaurants de nouvelle cuisine huppée où on leur sert avec solennité trois tranches extra-minces de poisson cru, avec décoration de poivron ciselé et de salade découpée au ciseau à broder. Et ces glandus s'extasient. Ils prennent des mines. Assurent que c'est inouïsement bon. A la fin ils carmeront une addition capable d'assurer les vacances à Etretat d'une famille de mineurs pendant quinze jours. Et puis ils s'égailleront en allant dire partout l'à quel point il est surdoué, le chef Gougnaffe, la fraîcheur de son poisson surgelé !

Son sens surnaturel de la non-cuisson ! La qualité de son service « sur assiette ».

Service sur assiette ! Un jour je me trouvais avec Zitrone dans un de ces hauts lieux et lui qui sait si bien mastiquer ne mâchait pas ses mots ! Il était flétrisseur tout plein, Léon. Il racontait des coqs au vin enchanteurs, ses potées auvergnates natales, des haricots de mouton plus bruyants que Verdun. Les petits gouzigouzous sur assiette, alors là, il en déclamait la « tirade des nez » en moldo-valaque, langage qu'il parle aussi bien que deux cent quarante autres. Le poisson cru, il veut bien pour les Japonais, ou pour les chats à la rigueur, mais n'essaie jamais de lui en faire claper, Léon, il te le pardonnerait pas.

A la table faisant face à la mienne, y a un couple assez singulier. Lui : une montagne ! Au moins deux cents kilogrammes à poil ! Il a un ventre qui lui masque sa biroute à tout jamais. Que même avec une montgolfière de cette ampleur, il doit plus pouvoir la toucher. Se sert de pinces à cornichons pour aller licebroquer, le malheureux. Buveur de bière, ça, tu peux y compter. Elle lui dégouline par les yeux, lui sourd de la peau, tout partout. Ses joues sont comme un cul d'obèse. Il est coiffé ridiculement, comme si c'était pas suffisant son hyper-surcharge pondérale. Imagine une plate-bande de cheveux pas plus large qu'une soucoupe, sur le sommet de la tête, coiffée avec la raie au milieu ! Ça porte le comble, une connerie pareille ! C'est ce qui fait déborder le vase d'expansion ! Ses quintaux, tu te dis que c'est peut-être une infirmité, après tout ; une maladie ? Mais cette coiffure le situe impardonnable. Sombre con à tout jamais. N'en plus, il porte un jean taillé sur mesure par un costumier d'éléphants, un tee-shirt où y a marqué, en anglais, autour d'un cœur écarlate : « Tu es ici, mon amour ! » De quoi se poignarder le fion avec un baromètre ! On l'imagine, *l'amour,* vadrouillant dans cette immensité, arc-bouté sous les cataractes de bière que s'enquille l'extra-énorme.

Pour l'instant, il a eu un bon de sortie, l'amour en question, vu qu'il est assis face à l'Himalaya de bidoche. C'est une brunette somptueuse, mon vieux ! Très bronzée, les cheveux frisés, les yeux pervenche, la bouche en forme de chatte. Grande, roulée à la main. Le genre de personne qui ne te fait pas regretter le prix de la piaule quand tu la drives à l'hôtel.

Et il se trouve que, tu sais quoi ? Elle me mate à tout va, la chérie. L'œillade assassine et pensive. Elle suppute, tu comprends ? Subodore mes mensurations, imagine mes prouesses. M'a d'emblée situé partenaire émérite. Elle le voit sur écran large, mon caracolage sur matelas. Quand tu rencontres une sœur qui te court-jute d'emblée, avec cet air-là, faut jamais hésiter. Ce serait gâcher la marchandise. Tu le sais ce qu'il a écrit, Apollinaire ? « Ni coups ratés, ni les amours reviennent ! »

Moi, dégustant mes saucisses-frites comme à ma période estudiantine, je songe que la botte de sept lieues n'est pas loin pour compléter le festin. Juste qu'il faut l'organiser. Note que je pavane pas. Y a aucun mérite à être préféré au tas de graisse qui bâfre en face d'elle. Je lui allume un joli sourire comme quand je pose pour la couverture d'*Adam*. Eve y répond. Poète, je m'enquille une saucisse dans le bec et lui imprime un mouvement caractéristique, pour ensuite, poser une interrogation mentonnière. Un truc qui, dans tous les langages muets de l'univers signifie : « d'ac ? ». Elle y répond par un battement de paupières appuyé, tout aussi éloquent, qui, lui aussi veut dire « d'ac » mais à l'affirmatif.

Très bien. Les préliminaires étant accomplis, reste à arranger la fiesta. Si je ne me trompe pas, d'ici beaucoup moins que pas longtemps madame va se rendre aux toilettes et je devrai faire de même.

Le temps, pour un ordinateur, de compter jusqu'à 10, et la voilà qui se lève. Elle est pas sortie de la salle que son énorme sac à merde se met à piocher dans son assiette à elle pour s'assurer du rab de rab. Gros

porc, va ! Quel bonheur d'encorner des butors
commaks !

Je largue ma table à mon tour après m'être rincé la
bouche avec l'eau de la carafe et avoir gobé une petite
pastille à la menthe, pas infliger des miasmes à la dame
si, par bonheur, j'ai l'occase de lui placer une petite
pelle express.

Le saloon a réservé une belle place aux chiches. Ça se
présente comme un sas où s'ouvrent deux portes. Sur
l'une y a la silhouette d'un cow-boy, sur l'autre celle
d'une danseuse de french cancan. La brune piquante
(comme disait papa) est debout dans le sas à contempler un tableau représentant la conquête de l'Ouest au
siècle dernier. Tu vois : les grands espaces parsemés de
cactées en forme de candélabres, et une théorie de
chariots bâchés en arrondis, qui filent sur l'horizon.

— Belle image, n'est-ce pas ? murmuré-je en allemand.

La fille se retourne. Un peu trop parfumée à mon
goût car je suis un maniaque du pif, mais pour une belle
crampe, je pourrai m'en accommoder.

— Oui, très, répond-elle.

Moi, bille en tête :

— On se voit quand ?

— Demain ?

Là, pas de chichis, c'est banco d'office. Toujours
quand le temps vous bouscule, tu remarqueras. Les
objections, les nani-nanère, ça va quand tu te fous de la
pendule. Dans ces cas de détente sereine, tu monda-
nises, fais des mines, des tralalala ; mais si t'es talonné,
tu recours au style télégraphique.

— Impossible, je quitte Copenhague à l'aube.

Une brève réflexion de la dame. Elle regarde sa
montre-bracelet : une Swatch.

J'en fais autant avec la mienne : une Cartier.

Les deux, malgré leur différence de valeur ont un
dénominateur commun : 9 heures 10.

— Venez chez moi à minuit, décide-t-elle ; *il*
dormira.

— J'y serai. L'adresse ?

— Tallerichgade, 45. C'est une usine près des docks ; la maison du gardien. Si tout va bien, il y aura un linge blanc à la fenêtre.

— O.K., conclus-je en français.

Je me penche sur elle et ma bouche rejoint la sienne, comme on écrit dans les romans à l'eau de bidet. Rapide valse des patineurs, bien lui démontrer qu'elle n'a pas fait fausse route et qu'elle peut mettre en confiance son slip cochon, celui qui est fendu au milieu. Je la laisse pour rejoindre mes frites froidissantes.

L'obèse vient de se commander une quatrième chope de binoche ! S'il pisse pas au pieu, cézigue, c'est qu'il a une vessie de Boeing 747.

Un taximan vêtu d'un manteau de cuir noir et coiffé d'un kibour de commando suicide me dépose à quelques encablures de l'usine. D'après les illustrations pimpantes recouvrant les murs, on y fabriquerait de la pâte dentifrice. Y a plein de jolies gerces en train de se fourbir les dominos avec de telles expressions de bonheur qu'on pige très bien que leur pied, elles le prennent pas en baisant mais en se brossant les ratiches.

La demeure du gardien ressemble à une maison de poupée. Elle est si minuscule que je me demande comment le gros mec peut y vivre.

Un contentement viandeux m'empare lorsque j'avise, de loin, une tache blanche à une fenêtre. Gavé de bibine, il doit pioncer, le monstre. Sa chère et tendre se ferait calcer à ses côtés dans le lit conjugal qu'il s'apercevrait de rien.

Je m'avance. Long doigt me guetter car la porte s'écarte avant que je ne la teigne (ou que je ne l'atteigne, si tu n'es pas marchand de couleurs).

Dedans c'est obscur pour commencer, la dadame prend ses précautions à cause des voisins d'en face ; mais, très vite, la clarté pénétrant par la fenêtre permet de se déplacer. Je finis par découvrir un living bien pomponné. Les gens du Nord sont des forcenés du

confort, de la douilletterie. Faut dire que dans les pays
sans soleil tu te fais vachement chier et t'as pas d'autres
ressources thermales que de te claquemurer chez toi ou
d'aller te péter la gueule au bistrot de l'angle.

Je repère qu'elle est en robe de chambre de fil,
infiniment légère. Blanche, et que la moindre loupiote
rendrait transparente.

A peine la lourde refermée, je la saisis dans mes bras
et la presse contre moi. Alors là, c'est le vrai salut aux
couleurs. La farouche étreinte comme au ciné quand les
amants se séparent pour toujours sur un quai de gare.
Je lui bouffe le museau à perdre haleine, la pétris, la
consomme de tastu. Elle en veut vachement, ma
Danoise. A du mal à réprimer des cris. Tout à l'heure,
quand on abordera la période cosaque, on va perpétrer
du coït à haut risque, je pressens. Mais faut baiser
dangereusement si on veut vraiment se régaler, de nos
jours. Les brèves rencontres à la papa-maman, c'est
fini. Le temps du courage revient !

On se sert une première assiette de crudités : baisers
roulés, paluches vagabondes, médius de Saint-Gui. Elle
nous fait les dix premières minutes. D'un commun
accord, on s'accorde alors une trêve qui nous permettra
de prendre nos dispositions pour la suite. Moi, avec cet
esprit de décision qui assure ma suprématie en de
multiples occasions, je vois le déroulement de la
manière suivante : on prend tous les coussins des
fauteuils et canapés, on les groupe sur la moquette,
après avoir dégagé le mobilier afin de constituer une
aire d'action, et on attaque le grand travail. Je suggère
ce dispositif à la môme qui l'accepte d'autor, sans en
referér à son conseil d'administration. Vite, exécution !
Bientôt nous obtenons une surface matelassée d'au
moins dix mètres carrés, largement suffisante à mes
projets.

— Déshabille-toi ! râle l'épouse du mastodonte !

Ce serait pas de refus, mais dans la conjoncture je
renâcle. Un zig dessapé est vulnérable. Il est malcom-

mode de mettre les adjas quand t'as tes fringues et ta bite sous le bras.

Dans mon esprit, j'ai déjà décidé des festivités. Au fil des ans, j'ai établi des espèces de programmes applicables selon la nature des partenaires, leur morpho, leur Q.I., leur degré de salacité. Kif les restaurants ayant plusieurs menus à leur arc ; le plus simple étant constitué d'un hors-d'œuvre, d'une viande garnie et d'un dessert. Pour elle, je vais pas jusqu'au menu gastronomique, mais je lui réserve tout de même le menu dégustation : caresses variées (chaudes et froides), les trois tyroliennes à la Provençale, le pied de veau en gelée, la brouillade de burnes, le mignon farci à la crème d'asperges et la pièce montée (comme un âne). Je suis sûr que ça va lui plaire.

Dans la rue morosement éclairée, de rares voitures passent en illuminant le plafond brièvement. Faut dire qu'elle décrit un coude juste avant l'usine et la lumière des phares ressemble à un double faisceau de projos balayant les lieux.

L'assortiment de caresses ayant rencontré un franc succès, je passe à la première des tyroliennes, celle dite « à moustache », la plus simple et l'une des plus prisées par la bénéficiaire. Je ne voudrais pas préciser ici la posture exigée par cette exquise démarche, étant un homme plutôt prude de nature, sache simplement qu'elle amène mon visage dans un merveilleux « V » tiède, velouté, au souffle délicat.

Mon interprétation émérite fait gazouiller la charmante. Il ne faudrait pas qu'elle monte d'un octave sinon son hippopotame plein de bière risquerait de percevoir les échos de cette pâmoison, et consécutivement, d'apporter sa sale gueule dans nos ébats. Aussi, chaque fois que des phares arrachent la pièce aux ténèbres, risqué-je un œil en direction de la porte que j'estime être celle de leur chambre.

Pour t'en arriver à ceci : alors que je dérape dans les félicités de ma conquête, un camion lourdingue fait trembler le pavage de Tallerichgade. Contrairement aux autres voitures qui balaient brièvement le plafond, ses phares à lui illuminent la pièce à mi-hauteur, vu qu'ils sont plutôt plongeants.

Et alors, devine mon émoi lorsque j'aperçois trois silhouettes plaquées contre les murs du living. L'une, la plus mastarde, est celle de l'époux. Les deux autres concernent des mecs en manteau noir. J'ai même le temps de voir briller des armes aux poings de ceux-ci.

Putain, mon horoscope devient salement funeste brusquement. « Yayaïe, me dis-je, quel beau coup fourré t'a été ménagé, mon Sana ! J'ai idée qu'avant de canner, le vicomte de Flatulence a parlé de la confession qu'il t'a faite, et l'on vient de tisser une fameuse toile d'araignée pour te prendre ! Ton point faible est mondialement connu, aussi a-t-on placé sur ta trajectoire cette sale péteuse de merde chargée de te vamper. » Ça, je me dis, parole ! J'y change pas une broquille !

Moi, self-contrôleur-né, de poursuivre ma prouesse qui m'aurait valu un accessit (au moins) du vicomte ; ce qui ne m'empêche pas de gamberger méthodiquement.

Je suis sans arme (tu ne peux pas en trimbaler dans un aéronef sauf si tu es terroriste patenté). Je ne dispose, pour tenter de me sortir de ce mauvais pas, que de mon étonnante lucidité, jointe à l'esprit inventif le plus performant de l'après-guerre.

Qu'attendent les gars pour me charger ? Que je fasse le contraire ? Ils sont gentils.

Le gros mari est adossé à la lourde, dans le coin le plus obscur. Les deux mecs sont, eux, plaqués contre le mur. Seule issue possible : la fenêtre à petits carreaux donnant sur la rue. Elle est constituée de quatre panneaux, ce qui en fait pratiquement une baie vitrée. Va falloir risquer le coup par là. Tout est question de précision et de chance.

Je cesse de prendre langue avec la môme.

— Ah ! viens ! Lève-toi, je râle. Tu vas voir ce que je vais te faire, chérie !

En allemand, c'est pas facile. Une langue faite pour

commander des pelotons d'exécution, va-t'en chiquer le gars en transe amoureuse avec !

Je sais pas ce qu'elle pense, cette grand-mère, mais de servir d'appât ne lui coupe pas l'appétit. Elle n'est pas pressée que ses petits potes interviennent. Mon idée est qu'il s'agit d'une radasse engagée pour la circonstance. J'espère qu'elle est pas en train de me refiler une charognerie ! Par les temps qui rôdent, tu ne peux plus limer à tête de nœud reposée. Toujours ce doute obsédant !

Docile, elle se redresse ; ce qui lui est d'autant plus facile que je l'aide. Maintenant, faut je j'attende le passage d'une prochaine guinde pour jouer ma parti-tion. Ça va être coton, pas gentil et risqué. Mais seul l'homme d'action peut s'en tirer. Regarde Rambo ! Il serait les pieds dans des charentaises à jouer aux échecs, tu crois qu'il pourrait décimer le Viêt-nam, ce grand con musclé ?

Nous voilà debout au milieu de la pièce. Je la presse fort contre moi, et lui vertigine le mollusque. Une main sans pouce, elle m'héberge, mon pote ! Te dire si elle est accueillante, Ninette ! Un centre d'accueil de ce calibre, tu peux pas lui offrir une borne d'incendie en guise de tabouret.

Elle remue des noix, me malaxe comme une malade. Comment il parvient à ne pas degoder, l'Antoine, non je te jure, y a tout de même la protection divine qui rôde !

Enfin, je perçois un ronflement de moteur qui va croissant. C'est le moment, c'est l'instant. Je dégage ma dextre musardeuse de sa bourriche. Je saisis la main de ma chère partenaire. Elle pense que je vais l'initier à une figure nouvelle, interdite par le Coran, mais vachement joyce à perpétrer pour une Danoise. Alors elle se laisse aller. Et c'est ce que je souhaite. Je m'écarte d'elle et, de toutes mes forces, je la tire par le bras pour la propulser dans la baie vitrée.

Ce crash ! Ça fait « vraoumzing glic glic glic tchoff ! » Je te le traduis approximativement, à l'oreille. La gonzesse muée en projectile a fracassé la fenêtre et valdingué dans la rue. Je plonge par la brèche. Haute voltige ! Toutou savant à travers le cerveau de papelard du clown Zoukino.

Je ne me reçois pas, c'est ma nana qui s'en charge. Je me pose sur le ventre comme un zinc qu'a pas pu dégainer son train d'atterrissage de sa braguette. Je suis reçu cinq sur cinq. L'un des tessons de verre dont elle est hérissée me laboure la cuisse. Je me redresse à l'instant où survient la voiture que j'ai entendue. Carrément, il se plante en « X » au milieu de la chaussée, Bayard.

Le tomobilisse freine à mort. Faudra qu'il fasse régler ses patins car sa charrette déporte (c'est une voiture allemande, ce qui explique tout). J'amorce une passe tauromachique de grand style qui m'amène pile au niveau de sa portière passager que j'ouvre du premier coup. Au volant, j'avise un gusman effaré, ça, tu t'en doutes, un con à lunettes. Il voudrait m'aboyer contre, mais la frayeur lui a coupé la chique et il ne cause plus que corbeau, et un peu de crapaud pour compléter.

Je prends place à ses côtés.

— Police ! Vite ! je lance.

Je répète le « vite » en anglais, en italien, en espagnol, en berjallien moderne et en sanscrit. Pas la peine pour le mot « police » qui est international comme le mot dollar.

Le gars, avant de décoller, il louche en direction de la fenêtre éclatée, de la femme ensanglantée étalée sur la chaussée. Il avise deux mecs en noir à travers la brèche. L'un tient une arme de poing.

— Bouge ton fion, Gaston ! crié-je.

Bien que peu familiarisé avec mon argot, il répond que « *Ja, ja* » ! Il va pour décarrer quand sa vitre vole en éclats. Si avec tout ce verre blanc brisé on n'a pas du bonheur plein la musette, c'est à désespérer ! En tout cas, le bonheur en question n'est pas pour mon auto-stoppé qui s'est pris une bastos dans la glotte et se saigne à gros flocons. Qui est-ce qui vient de crier

« comme la lune » ? C'est pas beau de faire des calembours avec un mort ! Tout se perd, bordel ! La politesse, les clés, les pucelages, la vie...

Ça défouraille en salves, à présent. Ratatiné au fond de la chignole, je laisse passer l'orage. Ils vont bien s'arrêter, non ? Faut recharger, mes agneaux ! Y a qu'au cinoche qu'on recharge jamais. Ça pétarade à perte de vue, sur boucle ! La bagnole vibre et tangue sous les nombreux impacts. Heureusement, je me trouve du côté opposé aux tireurs. Tu sais que le trouillomètre, quand il avoisine le zéro absolu, diminue ton volume dans les proportions inouïes ? Je ne dois pas occuper beaucoup plus de place qu'une brosse à dents, ratatiné comme je me tiens.

Qu'est-ce qu'il leur prend, ces gus, de déclarer la guerre à outrance, comme ça, alors que, jusque-là, ils procédaient à pas feutrés ?

Heureusement que le bloc de changement de vitesses intercepte les pruneaux, sinon, couché ou pas, j'allais en dérouiller. Leur erreur, mes ennemis, c'est de n'avoir pas pris le temps de sortir de la taule et de contourner la guimbarde (c'en est devenu une en vingt secondes). Pour comble, la voilà qui prend feu. Des flammes sortent de sous le tableau de bord, côté conducteur. Reste pas là davantage, mon Antoine, sinon tu vas ressembler à un boulet Bernot.

Je risque une pogne vers la poignée de ma portière. Dans mon geste, cette dernière qui n'était pas fermée, s'entrouvre. Je me coule à l'extérieur au moment où ça se met à cramer grand. Si je n'avais pas une caméra dans le ciboulot, y a lulure qu'on m'apporterait des chrysanthèmes à la Toussaint.

En descendant du taxoche, naguère, j'ai repéré des travaux dans la rue. Y a même une loupiote palpitante qui les signale aux noctambules. Il s'agit d'une tranchée longue d'environ dix mètres.

Profitant de l'incendie qui me masque, j'y rampe et m'y coule en priant le ciel à fond de train pour que mes tagonistes ne se soient aperçus de rien. Tapi dans la terre glaise, m'y incorporant presque, j'attends. La voiture en feu crépite et ronronne. J'entends une galopade, bientôt suivie d'un bruit de bagnole démarrant à l'arraché.

Je risque ma tronche hors du trou. Je vois radiner des gens d'un peu partout. Ils font cercle autour de la chignole. Un rétablissement silencieux, me voici sorti de ma fosse. Je me planque contre le mur d'un immeuble. A l'abri de cette ombre que troublent les reflets du brasier, j'observe la scène classique d'un accident nocturne que viennent examiner des badauds en vêtements de nuit. La maisonnette du gardien est toujours obscure. Sa baie brisée reçoit les escarbilles en provenance de l'auto. Ma « séductrice » a disparu. Tout paraît désert dans la crèche.

Je me dis qu'il m'arrive une aventure similaire à celle de Nicolaj Jakobsen : deux hommes ont tenté de m'assassiner. L'incendie de la voiture leur donne à croire que j'ai grillé. Ce n'est que demain, en apprenant par les médias qu'il n'y avait qu'un cadavre dans la carcasse de l'auto qu'ils sauront la vérité. Tout comme le protégé du vicomte, je dispose de la nuit pour planquer ma carcasse.

JE FAIS LA GUERRE, PLUS L'AMOUR

L'enjeu doit être d'une importance démesurée pour que les ex-patrons de Jakobsen ordonnent un pareil nettoyage. Ils rechignent pas sur les hécatombes, ces gueux. Avec eux, la volée de balles est monnaie courante. Et maintenant, l'ex-commissaire Tantonio se trouve pris dans leur collimateur ! Seul, le pauvret ! Privé de toute assistance extérieure. N'a même pas un bout de flingue pour se protéger. Perdu dans la vie maléfique du crime sans cette infrastructure policière qui constituait son bastion.

Le moment est venu de faire le point et même le poing (dans sa poche). Je suis dans un état indescriptible : mes fringues brûlées et ensanglantées, mes bagages sont à l'hôtel ainsi que mon billet d'avion pour Søndre Strømfjord. Si mes assassins m'ont filoché de bout en bout, ils ont vu que je prenais ce billet. Il est impératif que je gagne le « Gros et lent » (comme dirait Béru) d'une autre manière. Or, ce foutu pain de glace à beau appartenir au Danemark, il ne s'en trouve pas moins à plus de quatre heures d'avion. Et les relations sont moins nombreuses que sur Paris-Nice. Alors il fait quoi t'est-ce, Antonio ?

Je me trouve sur le banc d'un square. La ville nordique est endormie, silencieuse. Je n'aperçois même pas une ronde de poulets. Ici, tout baigne. Le Nord est moins contaminé que le Sud. Stérilisé à bloc. On s'y fait chier dans le confort cafardeux et la propreté affichée.

Ici, M'sieur Propre n'a rien à foutre, vu que tout y est *clean* depuis le début du quaternaire.

Alors, mon Sana, tu décides quoi, vieille frappe ? Ah ! t'es malin, ainsi paumé dans ce patelin décaféiné. Kif Jakobsen, je tè dis ! Seulement lui il a eu le pot de rencontrer le bouffeur de chattes. Un Samaritain d'élite. Vieille noblesse de France ! Le cœur sur la main. L'esprit de chevalerie rivé ! Panache et bitoune au vent, messire de Flatulence. Sa langue de caméléon toujours tournée sept fois dans la chagatte de ses clientes esseulées avant d'attaquer. Galop d'essai mutin. Prise de contact exquise. Un doué de l'hypoglosse !

Cette fois, je sais en plein pourquoi je me trouve sur ce banc, démuni, écœuré, indécis. Parce que le vicomte, pas un instant, n'a douté de moi ! Il a su que j'allais m'atteler à ce mystère. Il était certain intimement qu'il ne pourrait en être autrement. La foi en moi ! Simplement à la lecture d'une interview. Et M. Mézigue, brave con avec un chouïet dindonnesque, n'a pas voulu faillir.

Dans le cul, Lulu !

Tu décides quelque chose, Glandu, ou bien tu rentres à la maison pour repeindre les volets qui en ont grand besoin ? M'man me le faisait remarquer, l'autre jour. Elle a dit que les peintres étaient hors de prix et qu'il fallait qu'on s'y attelle nous tous : elle, la bonne, Toinet et moi ! Que c'était l'affaire de trois jours « en s'y tenant bien ». Se tenir après le pinceau, oui !

A cet instant de mélancolie danoise, je songe avec envie à cette partie de campagne dans une odeur de térébenthine et de doigts verdâtres pour huit jours malgré la lessive Saint-Marc (et de Thou).

Quand j'étais chiare, lorsque j'avais perdu quelque chose, ma grand-mère me conseillait d'implorer saint Antoine, mon patron. Elle avait une formule rimée, mémé :

« Saint Antoine de Padoue

« Rendez ce qui n'est pas à vous. »

Au demeurant ça pouvait paraître injurieux pour le supplié, non ? Y avait une connotation de resquille dans la formule. Elle sous-entendait que saint Antoine avait engourdi l'objet disparu et le conservait en loucedé. Moi, à sa place, une prière pareille, je la balançais à la gueule de l'envoyeur. Mais c'est un saint de première, Antoine. La crème ! Un velours ! Toujours, il me faisait retrouver mon livre ou ma toupie, voire la petite pioche me servant à jardiner la plate-bande où je faisais pousser des pensées et du réséda.

Franchement, c'est quelqu'un de bien, Antoine de Padova ! On s'est toujours bien entendus, lui et moi. C'est peut-être le moment de l'implorer, non ? Cette fois, c'est pas un objet que j'ai perdu, mais ma route. Le Nord, quoi ! J'ai perdu le Nord.

« Saint Antoine de Padoue

« Rendez ce qui n'est pas à vous. »

Tu vas croire que je t'écris un Don Camillo, mais à peine ai-je proféré qu'une Porsche 928 de couleur noire déboule à fond la caisse. Vitesse infernale. Comme quoi, même à Copenhague, dans ce patelin de mesure (on y trouve néanmoins les meilleurs sex-chopine du monde et les cabarets les plus hard) y a des frappadingues.

La chignole miaule dans le virage, heurte la bordure du trottoir. Son conducteur en perd le contrôle et voilà le bolide qui pénètre dans le square et fonce droit sur moi. Décidément, c'est pas ma nuit ! J'exécute un saut de carpe qui me propulse dans une pelouse grasse. Un crash ! Le véhicule emboutit un bel arbre à feuillage rouge, puis un lampadaire après lequel il entreprend de grimper. Dressée sur ses pattes arrière, tel un toutou réclamant un susucre à son maîmaître, la Porsche n'a plus fière allure. Elle fume comme un sapeur, perd de l'huile et de l'essence à tout va. Ce qui impressionne, c'est le silence ayant succédé à la collision.

Je me hausse sur la pointe des pieds pour ouvrir la lourde du conducteur. Je constate alors que ce veau n'avait pas attaché sa ceinture de sécurité et que sa tronche a traversé le pare-brise. Il était blond, et peut-être beau garçon, bien que danois. En tout cas, à moins que l'on ne me montre sa photo, je ne le saurai jamais. Pour lui, les jeux sont faits et il a la frime en charpie.

Je contourne la tire, ayant cru remarquer que deux personnes se trouvaient à l'intérieur. Lorsque je déponne la portière, le corps d'une jeune femme se met à pendre de la bagnole, retenu qu'il est, lui, par la ceinture. Ne pouvant déverrouiller celle-ci, je tranche la sangle avec mon ya, ce qui n'est pas fastoche vu que la toile contient une armature en fils d'acier.

Pour lors, la passagère me choit dessus. Je la cueille dans mes bras et l'allonge dans l'herbe mouillée. Le plus hallucinant, c'est que l'accident est passé totalement inaperçu. Le quartier continue de roupiller et comme la Porsche se trouve au cœur du square, on ne peut l'apercevoir depuis les rues cernant ce triangle « d'agrément ».

Je me rends vite compte que la fille est vivante. Elle n'est qu'estourbie et une bosse grosse comme un essaim de guêpes désharmonise son front. Sinon, elle est drôlement batoche, la miss : blonde, élégante et apparemment confortablement manigancée par la nature. Son capot à poumons, entre autres, pourrait avoir été conçu par un maître carrossier turinois.

Je trempe mon mouchoir dans la rosée et lui humecte le visage autour des yeux. Bientôt, ses ravissantes paupières se soulèvent. Elle regarde le ciel danois, ronchon, avec des nuages gris et bas provenant de la mer du Nord, puis m'aperçoit. Elle me fixe d'un œil indécis.

— Vous avez mal ? questionné-je.

En allemand, toujours.

Comme elle ne répond rien, je réitère *my question in english*.

Elle répète, dans ce beau dialecte qui a fait la fortune de Shakespeare et qui permet à la reine d'Angleterre de prononcer un discours en *play-back* lors des changements de gouvernements :

— Mal ?

— Vous venez d'avoir un accident, expliqué-je.

— Un accident ? répète la ravissante jeune fille (je lui donne dix-huit ans qu'elle pourra me rendre si elle les a déjà).

— Votre copain a raté le virage et la Porsche s'est écrasée contre un réverbère.

Du coup, ça commence à remuer dans son brouillard. Tu sais ce qu'elle exclame ?

— Ce n'est pas mon copain !

— C'est qui, alors ? Votre frère ?

— Oh ! non, un sale type qui m'a draguée en sortant du *Manhattan* et qui m'a forcée de monter dans son auto ! On était seuls dans le parking. Moi, je voulais prendre ma voiture, mais il m'en a empêchée. C'est parce que je me débattais dans la Porsche qu'il a raté le virage.

— Vous vous débattiez ? Pourtant vous aviez mis la ceinture ?

— Evidemment : il roulait à deux cents dans les rues ! Il me pelotait à cette allure-là, le salaud ! Je voulais repousser sa main, alors il a fait une embardée, je me rappelle et...

Elle se dresse vivement pour regarder autour d'elle. Aperçoit la Porsche en position quasi verticale.

— Il... il est toujours dedans ? demande-t-elle.

— Oui, et je crains qu'il ne soit un peu mort, avoué-je.

Tu sais sa réaction ?

— Eh bien ! tant mieux !

Curieuse oraison funèbre, non ? T'imagines Bossuet en chaire, balançant une vanne pareille ? Les gonzesses sont impitoyables.

On est là, près de l'épave ruisselante d'huile qui sert de cercueil à un type : moi assis en tailleur, elle allongée, se soulevant de côté sur un coude. Scène champêtre. On ferait un motif de Fragonard ou de Watteau impec : le pique-nique sur l'herbe.

— Qu'est-ce qu'on va faire ? demande-t-elle. Il faut prévenir la police ?

— Ce serait sûrement indiqué, admets-je.

Elle hoche la tête

— J'aimerais mieux pas. Si mon père apprend que j'étais avec un type, que nous avons eu un accident ensemble et qu'il s'est tué, il piquera une crise ; il tient tellement à sa réputation ! C'est Carl Morgssen, de la bière Carl Morgssen, vous connaissez ?

Vous m'en direz tant !

Moi, ce que je regarde, c'est que ça fait plutôt mon blaud, sa frousse du père, à la môme. Je tiens pas à être embarqué en qualité de témoin, ni à devoir expliquer ma mise boueuse et ce que je branlais dans le square au mitan de la noye.

— Alors, filons ! décidé-je.

— Vous voulez bien ?

— Du moment que ça vous arrange...

— Mon sac à main est resté dans la voiture, déplore la douce enfant.

Moi, n'écoutant que mon ni une ni deux, je marche au véhicule et me déhanche pour l'explorer. Je finis par trouver le réticule à bretelle sur le plancher.

La fille se lève en geignant, vu qu'elle a morflé une rude secouée et on s'éloigne en clopotant.

Je songe que, bien qu'ayant quitté la Rousse, ma vie reste toujours aussi mouvementée et pleine d'imprévus.

La crèche des Morgssen (de la bière), c'est pas de la petite bière ! J'en ai vu de plus impressionnantes encore, aux Zuhessa, certes, mais pour l'Europe, pardon, Gaston, c'est déjà de la *house* de fort calibre, qu'en comparaison l'Elysée ressemblerait à un pavillon de chasse.

Elle s'élève au centre d'un grand parc, pelouse gigantesque peuplée de sculptures ultra-modernes, genre Calder et consorts. Je peux pas me retenir de songer que la Porsche du gars bousillé ne ferait pas mal, cabossée comme elle est, dressée sur un socle. Au lieu de compresser les tires, façon César, on pourrait les placer sur piédestal, telles qu'elles sortent de l'usine. J'ai un pote passionné de bagnoles. Dans son salon, y a une roue de formule 1. Putain ! ce que ça en jette, un objet pareil, parmi les bahuts en loupe de noyer et les tapis chinois ! Tu ne vois que ça. C'est impressionnant, si tu savais. Et beau ! Une pure œuvre d'art !

Moi, à l'orée de la bâtisse, je veux prendre congé de ma souris de rencontre. Mais elle ne l'entend pas de cette oreille :

— Oh ! non, entrez, on va boire quelque chose pour se réconforter !

— Mais monsieur votre père...

— Il est absent, ce soir.

Elle a la clé d'une porte latérale et m'introduit dans la cathédrale du roi de la bibine danoise.

Les grossiums, ce qui leur manque généralement, c'est l'imagination. Pour eux, une maison, c'est du mastoc : des lambris de bois plus ou moins précieux, des lustres d'opéra, des couches de tapis épaisses comme des matelas, des meubles semblables à ceux de Victor Hugo (lequel se meublait en alexandrins gothiques, le grand chéri), des toiles très éclectiques, qui vont de Rembrandt à Picasso. Tout est silencieux, sauf les planchers qui craquent un peu, comme il se doit.

La môme m'entraîne au premier. On vire à gauche (et pas virago, comme j'ai écrit l'autre jour par inadvertance) jusqu'à un couloir. L'appartement de ma protégée commence là. Dès lors, tout change. C'est moderne, frais, gai. Trois pièces : un petit salon où tu rêverais de folâtrer, une chambrette ou tu voudrais conclure lesdites folâtreries, et puis une pièce qui fait discothèque, avec des appareils sophistiqués, des casiers regorgeant de disques et de cassettes, un appareil télé grand écran, un coin bar, des canapés profonds, des posters de Madonna et de Jackson. C'est là qu'elle me reçoit.

Je la contemple à loisir. Très mignonne. Plus jeune encore que je ne l'avais estimé. Dix-sept printemps, pas plus. Elle porte des ecchymoses à la tempe, au menton, sur les bras.

— Vous devriez désinfecter vos plaies, dis-je ; elles ne sont pas graves, mais ce serait préférable.

Sa robe fourreau a pété dans l'impact ; elle est complètement fendue dans le dos. On découvre qu'elle ne porte pas de soutien-gorge, ce qui n'est pas grave, et qu'elle possède déjà une chute de reins vertigineuse, ce qui est bon à noter dans un coin de son carnet. Si l'occasion de repasser par Copenhague m'est donnée, d'ici deux ans, je ne manquerai pas de lui téléphoner afin de vérifier où en sont ses atouts.

Sur mes instances, elle passe dans sa salle de bains, magnifique création de l'art sanitaire contemporain, où tu pourrais loger sans peine les passagers d'un paquebot de croisière.

Je l'y suis d'autor et m'occupe moi-même de ses égratignures. Elle se laisse faire docilement, comme une petite fille un peu secouée qui n'est pas fâchée de voir une grande personne prendre l'initiative de sa vie pour un moment. Moi, nulle concupiscence, je t'informe. Va pas chercher midi à quatorze heures trente comme quoi l'Antonio s'excite sur une adolescente, tu ferais fausse couche. Le grand frangin, tu vois ? J'aurais eu une petite sœur, je suis certain que je l'aurais traitée ainsi.

— Votre mère est absente également ? m'informé-je tout en la mercurochromant.

— Depuis douze ans. Elle nous a quittés, papa et moi, pour suivre un concertiste polonais. Elle était férue de musique.

— Et c'est votre père qui vous a donc élevée ?

— Lui et Marika, son amie. Une femme formidable.

— Elle l'a accompagné en voyage ?

— Non, elle est ici.

— Il serait peut-être bon de la mettre au courant de ce qui vient de se passer ? Supposez que l'affaire ait des suites, il faut que vous soyez épaulée par quelqu'un d'efficace.

La gosse acquiesce.

— Je vais l'appeler.

Elle compose un chiffre sur le cadran incorporé d'un combiné gigantesquement moderne. Deux trois sonneries, puis on décroche. Ma petite potesse jacte alors avec volubilité. Quand elle raccroche, elle me dit :

— Marika descend.

— C'est comment, votre prénom à vous ?

— Grettel. Et vous ?

— Antoine.

Elle sourit et s'efforce de prononcer mon blaze comme je viens de le faire, mais elle est loin du compte malgré plusieurs tentatives.

— Vous voulez boire quoi ? finit-elle par renoncer.

— Gin-Coca. A cette heure, c'est ma boisson préférée.

— Moi aussi. Ça vous ennuie de nous les préparer ? J'ai terriblement mal à l'épaule.

Comme j'achève de m'activer au bar, la porte de la « discothèque privée » de Grettel s'ouvre et une femme entre dans ma vie. La *vaca !* Quelle apparition !

Quand tu vois surgir une personne de ce style, tu te mets à dégouliner de partout ! T'as les yeux qu'écarquillent, la bouche en jeu de grenouille et tu te chopes un air tellement con qu'un demeuré te prendrait par la main pour t'emmener faire pipi. Mais comme l'écrirait mon camarade Balzac, *il est peut-être temps de brosser pour le lecteur un portrait de la personne qui provoque en moi une aussi vive et intense réaction ?*

Quand Grettel m'a déclaré que c'est Marika qui a aidé son dabe à l'élever, j'imaginais une dadame mûrissante, dodue, un rien popote, d'une élégance surannée de bourgeoise nordique qui prend modèle sur la reine d'Angleterre pour acheter ses chapeaux.

Aussi, imagine un instant, un seul, mon éperduance lorsque je vois entrer une femme d'environ trente-huit ans, grande, bien faite, très bronzée, mais d'un bronzage cuivré, très blonde, mais d'un blond d'or jaune, avec le plus large regard vert que j'eusse jamais croisé ! Oh ! les soucoupes de la mère, pardon ! Des feuilles de nénuphar, moui ! Elles lui bouffent toute la gueule ! Tu y plonges la tronche la première et tu t'y noies sans hésiter, considérant que c'est la plus fabuleuse des morts possible et qu'une occase de finir ainsi faut pas la rater.

Elle porte une robe de chambre de soie noire à motifs floraux jaunes. Elle est chaussée de mules jaunes. Elle me marche contre en développant un sourire tellement étincelant que je palpe mon veston pour y prendre mes lunettes de soleil ; mais merde, je les ai oubliées sur ma table de nuit !

Grettel fait les présentations. Alors l'arrivante m'adresse la parole en français. Et ce français est plus pur que le mien qui, pourtant, hein, dis, je veux pas me pousser du col !

— Je vous remercie de ce que vous avez fait pour Grettel, me dit-elle. Elle m'a vaguement résumé ce qui vient de se passer, mais j'avoue qu'un complément d'information serait le bienvenu.

Elle se sert un doigt de vodka dans deux d'orangeade, remplit son godet de glace pilée et vient s'asseoir face à moi dans un fauteuil pullman. Mon espoir fou est vain : elle plie soigneusement les pans de sa robe de chambre entre ses adorables jambes avant de se poser, et l'Antonio se met la tringle.

On bavarde à perte de vue. D'abord, Grettel raconte son historiette du parking. N'ensuite, je prends le relais quatre-fois-quatre-cents pour ce qui est de l'accident.

Marika la superbe écoute gravement.

— Vous êtes sûr que personne n'a rien vu ? demande-t-elle.

— Vous connaissez le square de Mormagross Allee. Il était désert et les immeubles les plus proches sont à bonne distance. Nous avons passé un certain temps sur les lieux et onc ne s'est montré.

— Ce serait très grave pour Carl si sa fille était compromise dans un fait divers, dit-elle ; le public est féroce pour les gens en vue et croit voir le mal partout.

Elle découvre que sa fausse belle-fille est endormie, brisée de fatigue.

— Je vais l'aider à se mettre au lit, déclare-t-elle.

— Il est temps que je me retire, fais-je mollement.

— Non, attendez un peu, si vous le voulez bien.

Et comment que je le veux bien ! Tu parles, c'est inespéré de trouver provisoirement un gîte. Pendant que je discute chez les Morgssen, je suis à l'abri des tueurs.

L'absence de Marika est de courte durée. J'ai juste le temps de m'aménager un deuxième gin-Coca et la superbe créature est de retour. Elle se met à me questionner sur moi-même, merveilleux sujet de conversation s'il en est, et qui me rend intarissable.

Pourquoi, à certains moments, éprouvé-je le besoin de confier à des inconnus mes secrets les plus rares ? Comment se fait-il que, tout naturellement, je me laisse glisser sur la planche savonnée des confidences avec des gens de rencontre qu'elles doivent laisser indifférents ? Est-ce un instinct profond qui me donne le feu vert ? Est-ce le flair qui pressent que, de cette confiance sortira quelque chose de positif ? Réponds-moi !

Ça démarre mollo. Pourquoi suis-je à Cophenague ? Pourquoi ? Vous voulez vraiment que je vous rancarde ? Eh bien, je vais vous le dire, pourquoi, ma suprême. Figurez-vous qu'un soir de la semaine dernière, dans un fourré obscur de votre merveilleux Tivoli Park... Comme ça. Le volant qui se met à tourner le moulin à paroles. Ça vient : le vicomte (dont je tais par pudeur la singulière profession), Nicolaj Jakobsen traqué pour avoir, en compagnie de trois autres spécialistes, réalisé un travail mystérieux, l'assassinat de Flatulence, moi qui envoie dinguer mon supérieur et qui me mets en route, comme un pèlerin touché par la foi éclairante...

Elle m'écoute, passionnée par cette étonnante aventure. Un vrai film américain, tu trouves pas, Eloi ? Le scénar est prêt, t'as plus qu'à radiner avec ton cadreur et ton éclairagiste. Tu cries « moteur » et ça tourne, dirait Galilée.

Combien de temps parlé-je ? Impossible à estimer. Elle m'écoute sans piper (ce qui est dommage). Pour finir, afin de lui prouver que je l'ai pas berlurée et que je ne suis pas mytho, je lui montre mon « ancienne » brème professionnelle. Celle qu'y a marqué dessus « République Française » et, en beaucoup plus gros « POLICE ».

Elle l'examine puis me la rend.

— Je vous en fais cadeau en souvenir de cette soirée, lui dis-je, car je n'y ai plus droit, et si je la conservais, je serais tenté de la produire dans certains cas d'urgence.

— En somme, résume-t-elle, après avoir glissé ma carte dans la poche de sa robe de chambre, vous voilà dans une fâcheuse situation ?

— Disons funeste et n'en parlons plus. J'ai déclenché la foudre en me lançant à la recherche de Jakobsen. Et c'est d'autant plus fou qu'il est probablement mort !

— Peut-être que non, fait-elle.

La voilà qu'empare le biniou pour taper un numéro. Ça carillonne vachement longtemps, vu que son correspondant doit en concasser des tombereaux. Deux plombes du mat' au Danemark, c'est archi la nuit ! Enfin on décroche. Elle se nomme et part dans des excuses (je les décèle à son intonation). Après quoi, sa converse prend une tournure plus sérieuse. Là, elle donne des instructions, j'en jurerais. On doit lui objecter ceci cela, mais elle balaie toute velléité d'opposition. Les choses paraissent s'arranger car elle sourit et fait voix de velours pour balancer des gratulations à tout va.

Elle largue l'appareil et pousse un long soupir en le mélodiant comme si c'était une chanson.

— Bon, tout est arrangé, fait-elle.

Cette nana, elle a une volonté d'acier. L'énergie femelle ! La déterminance absolue.

— Qu'est-ce qui est arrangé ? je risque.

— Je vais vous emmener demain matin.

— Où ça ?

— Mais au Groenland ! C'est bien là que vous voulez aller, non ?

Y a des jours, je vais te dire, faut pas essayer de regarder par le conduit de la cheminée, sinon le Père Noël te dégringole sur la gueule !

GOOD LUCK TO MOI !

Mon premier élan de stupéfiance passé, je demande, avec un paquet de coton gros commak au fond du corgnolon :

— Vous comptez m'y emmener par quel moyen locomotif, au Groenland ?

Elle éclate d'un rire cristallin (toujours, dans les vrais romans : un rire cristallin, t'auras noté).

— En avion, bien entendu ; comment voudriez-vous que je vous y conduise ? Je pilote depuis une douzaine d'années et j'ai plusieurs fois traversé l'Atlantique dans les deux sens, mon cher ami (1). Je possède un jet des plus performants.

Alors là, c'est l'éblouissement complet. L'aurore boréale dans toute sa gloire. T'imagines un peu ce qui m'échoit comme veine, Germaine ? Traqué, démuni, les fringues cradingues, prêt à désespérer de tout même de l'espérance, voilà que la fée Marjolaine se penche sur moi et m'emporte !

O la divine personne ! Comme ça, au débotté, le Groenland ? Mais donnez-vous Le Pen (qui est roi au royaume des aveugles) de monter dans mon zinc, Tonio

---

(1) Surtout, va pas croire que je te berlure : j'ai dans mes relations une nana, finlandaise d'origine, qui passe son existence à survoler la planète ; aller de Copenhague à Søndre Strømfjord, pour elle, c'est comme pour toi de prendre le R.E.R. pour te rendre à Saint-Germain-en-Laye.

chéri ! J'entrevois des félicités extrêmes, des raretés voluptueuses à n'en plus finir.

— Je ne puis accepter, bredouillé-je hypocritement. C'est trop ! C'est *too much !* Ça peut être dangereux pour vous ! Vous compromettre ! Vous...

Elle se lève pour renouveler mon glass, vidé par inadvertance dans mon tube digestif en plein désarroi.

— Ne dites pas de bêtises ; d'ailleurs vous voilà déjà à court d'arguments. J'ai prévenu le chef mécanicien de mon aéroclub qu'il doit faire préparer mon appareil pour sept heures. Vous savez : je m'ennuie lorsque je suis inactive. Carl refuse de me laisser travailler, aussi voler est pour moi un merveilleux dérivatif. A midi nous serons arrivés.

Je comprends alors que je représente une espèce d'aubaine pour cette ravissante désœuvrée et que, dans le fond, c'est elle qui me témoigne de la reconnaissance. Elle se faisait tartiner dans l'immense demeure gourmée et voilà qu'un beau chevalier (français de surcroît) déboule en pleine nuit, les bras chargés de mystère ! Femme d'action, elle peut pas résister, Marika. Trop tentant !

— Votre ami Carl ne risque pas de mal prendre la chose ? hypothésé-je.

Elle pouffe.

— Lui ? Il ne s'apercevra même pas de mon absence. Il tient à moi comme à cette maison ou à l'une de ses nombreuses affaires, pas davantage. D'ailleurs il est habitué à me voir faire des raids à tout propos. La semaine dernière, je suis partie trois jours en Turquie, par exemple. Je venais de voir un documentaire sur le Bosphore à la télévision et l'envie m'a prise d'aller visiter Istanbul.

Dis donc, c'est pas con, cette vie ! Mais on s'en lasse, comme me le faisait remarquer Mme Crinoche, la matelassière du Faubourg Saint-Antoine qui entretient notre literie.

— Vous comptiez vous habiller comment pour parcourir le Groenland ? demande la ravissante.

— Comme je suis, en moins terreux, souris-je.

Elle hoche la tête avec commisération.

— Il est donc exact que les Français ignorent la
géographie ! Vous ne savez pas qu'au Groenland il
n'existe que deux saisons : l'hiver et le 15 juillet ?
Débarquer ainsi vêtu à Søndre Strømfjord vous assure-
rait une congestion pulmonaire instantanée. Suivez-
moi, nous trouverons bien ce qu'il vous faut dans la
garde-robe de Carl. Il est un peu plus fort que vous,
mais moins grand, et puis nous n'allons pas à un
concours d'élégance.

Moi, il y a un truc qui me bassine à la téloche,
davantage que tout le reste, c'est les dessins animés
japonouilles de science-fiction, bourrés d'aventures
galactiques où tu vois des vaisseaux spatiaux que,
merde, faut avoir des cerveaux vachement biscor-
ninches pour imaginer ça. Et des planètes de mes deux
qui te font froid aux miches : sans une pâquerette, sans
un bistrot ; tout en marbre noir avec des ogives d'acier
en guise d'arbres, ces cons ! Non, je te jure ! Moi, dare-
dare, j'appuie sur un autre bistougnet et tant pis si je
tombe sur une dégoisance de Raymond Barre ou sur la
production du vermicelle en terre Adélie ; je préfère
encore ça aux sidéranteries sidérales. Ce que je leur
reproche surtout, les Japonais, c'est leurs héroïnes,
fuligineuses amazones du vingt-cinquième siècle :
combinaison scintillante, yeux de laser, pommettes à
angle droit. Des sortes de guerrières au volant des
monstres qui crachent la désintégrance à tout va !
L'anéantissement cosmique ! Ces walkyries destruc-
trices te font oublier notre bonne vieille planète de
ploucs. Pour lors, quand tu les laisses à leur feu
d'artifice cosmique et que tu te retrouves devant ta
soupe au chou ou entre les fumerons de ta rombière
plus ou moins variqueux, t'as l'impression de démourir.

Quand je pense qu'on crétinise nos lardons avec ce
genre de conneries turpides, je me sens venir du
déshonneur sous le Rasurel, kif une crise d'urticaire.

On s'enchtouille délibérément, mes drôles. On sait plus quoi inventer manière de lézarder les plafonds de nos esprits. Y a plus besoin de guerres, désormais, pour transformer l'humanité en fumier. Tout se passe à l'amiable, devant des téléviseurs. La dégradation, la déliquescence doucereuse. On se met à couler comme le calandos, tout doucement, sans faire de bruit. Une formidable contamination se développe. Le S.I.D.A.? Rhume des foins en comparaison! La stupidité *überall!* L'amoindrissement par féerie négative! Péril jaune, présent!

Et si je te carre à l'improviste ce brin de disserte aboyeuse, c'est parce que Marika, dans sa combinaison de soie gris-bleu scintillante, avec ses écouteurs sur sa chevelure d'or et son regard tendu me fait songer à Miss Galaxa des feuilletons *made in Tokyo*. Les Jaunâtres, t'as remarqué, se gardent bien de proposer des zéroïnes à leur image. Pas fous, les frères! Si la conquérante de Pluton avait la bouille comme une tarte au citron, avec deux mouches pour faire les yeux, tu penses qu'ils en auraient rien à branler, nos chérubins occidentaux! C'est parce que l'aventurière des azurs représente l'archétype des nanas bandantes ricaines ou scandinaves qu'elle les fascine.

Je me tiens un tantisoit de profil sur mon siège pour profiter de ma sublime équipière. Elle est la « reproduction » fidèle des personnages inventés par le génie du Soleil Levant. Son jet blanc, avec une bande orange sur le flanc, fonce au-dessus des nuages, là que le soleil ne débande plus.

L'intérieur de l'appareil est tendu de cuir de Suède (c'est tout près du Danemark, elle a eu des prix). Il y flotte un parfum délicat que si c'est pas Chanel, c'est Dior. Rare, un zinc qui sente la cabine d'essayage de Roger Sakoun, le nouveau couturier de l'élite (ou la nouvelle élite de la couture).

Je lutte contre une pernicieuse somnolence, car ma nuit fut agitée et brève. Le glissement soyeux des réacteurs produit sur moi un effet soporifique. D'autant que, accaparée par le pilotage, elle en casse maigre, ma Maryse Bastié. Toujours l'œil sur ses cadrans, à tripoter un bouton. Temps à autre, on lui cause dans la phonie, elle répond brièvement. Ça baigne.

Je me laisse doucettement quimper dans la dormance. Naturellement je me mets à rêver aussi sec. Toujours quand je pionce en avion. C'est basé immanquablement sur le plancher qui cède sous mon poids. Je chois comme un gadin. C'est l'horreur. Mais voilà que des nuages consistants me recueillent. J'y marche comme sur un trampoline et c'est duraille de s'y déplacer. Pour comble, y a Marika à l'autre extrémité, nue avec juste une exquise culotte noire à dentelle. Elle me fait signe de la rejoindre. Je m'y efforce. Et puis le nuage cède à son tour sous mes pinceaux et je poursuis mon valdingue silencieux dans l'immensité. A cet instant, je me réveille et je constate que le coucou de ma belle avionneuse pique du pif en direction de l'océan.

— Nous arrivons ? demandé-je.

Elle soulève un de ses écouteurs.

— Pardon ?

— Vous amorcez votre descente, Marika ?

— Bien obligée.

Là, j'ai mes poils de cul qui se transforment en tapis persan et mon slip en tapis percé.

— C'est-à-dire ?

Et elle, placide :

— Phénomène de condensation. L'eau qui se dépose sur les ailes gèle, ce qui occasionne une surcharge. Je vais voler au ras des flots parce que la température y est plus haute et ainsi la glace fondra.

Du coup, le fils aîné, unique et surdoué de Félicie, ma brave femme de mère, déplore la visite que me rendit le vicomte et se met à penser au destin de Nicolaj Jakobsen comme à une dent gâtée qui ne serait même pas dans sa mâchoire.

— Et si elle ne fondait pas ? questionné-je, en m'efforçant de conserver un ton enjoué, ce qui n'est pas fastoche vu que lorsque t'as les foies, ça berzingue drôlement dans tes ramifications.

— Si elle ne fondait pas et que le poids s'accroisse davantage, nous serions contraints à nous poser.

— Sur la flotte ?

— A moins qu'un aérodrome surgisse des flots.

— Vous avez envoyé un message de détresse ?

— Pour quoi faire ? Nous volons toujours, non ? J'ai simplement signalé que je devais perdre de l'altitude.

— Les secours les plus proches sont loin ?

— L'Islande, à une bonne heure d'ici.

— Et votre Rolls-Royce du ciel est capable de flotter longtemps ?

— Les avis sont très controversés : entre dix minutes et une demi-heure. Auriez-vous peur, cher ex-commissaire ?

Sa question me requinque le mental.

— Peur, moi ? Jamais : j'ai mon Damart thermolactyl !

Elle ne sait pas ce que c'est, la civilisation n'ayant pas totalement atteint ses contrées sauvages ; mais elle comprend qu'il s'agit d'une boutade et opine en souriant.

Alors bon, voilà. On trace à cent mètres de la tisane et là, mon vieux, t'imagines pas l'effet que ça produit de foncer au-dessus des crêtes écumantes à huit cents kilomètres centigrades heure.

Je me dis que dans des cas extrêmes, il ne faut pas sombrer (j'ai de ces mots !) dans le mutisme. Tu penses trop vite et trop mal et ça perturbe le balancier de ta vie.

— Si on ne va pas rendre visite aux baleines, nous arriverons dans combien de temps ?

— Quatre-vingt-dix minutes environ, à moins que je puisse regrimper, ce qui nous ferait gagner du temps.

— Vous pensez retourner à Copenhague aujourd'hui ?

Elle a une sorte de soubresaut.

— Quelle idée ! Nous rentrerons ensemble, lorsque

vous en aurez terminé avec cette folle histoire, Antonio. Je compte bien la vivre avec vous !

— Ce serait de la folie pure. Nous avons affaire à des tueurs et...

Elle me coupe :

— Tant mieux, j'aime vivre dangereusement. En tout cas, dites-vous bien que vous ne pourriez pas mener une enquête cohérente sans moi, au Groenland, mon cher ami.

— Pour quelle raison, inestimable amie ?

— Vous parlez le groenlandais ?

— Ça existe ?

— Oui. La langue a été préservée et même se développe. Il y a des journaux et des émetteurs de radio qui n'emploient qu'elle. Et le danois, le parlez-vous ?

— Pas encore, mais si on ne se fraise pas dans l'océan glacé, je vous demanderai de me l'enseigner ; je vous montrerai combien je suis doué pour les langues.

Elle sourit.

— Je n'en doute pas. En attendant, vous seriez là-bas comme un sourd-muet car vous ne trouverez pas cent personnes, parmi les quatre-vingt mille habitants disséminés sur les terres habitables, qui connaissent un troisième dialecte. Donc, vous le voyez, la cause est entendue.

Moi, alors qu'on traîne du bide à quelques mètres du flot vengeur, tu sais quoi ?

— Je me rends à vos raisons, Marika. Toutefois, je dois vous prévenir d'une chose...

— Oui ? demande-t-elle, soucieuse mais surmontant ses préoccupances.

— Je ne suis pas homme à me tenir tranquille plusieurs jours d'affilée auprès d'une femme comme vous.

Elle sourit, mais pas de ce que je lui cause.

— Ça y est ! s'exclame-t-elle, mes ailes se dégèlent.

— Moi aussi, que j'y rétorque.

Elle me prévient avant qu'on pose, Marika : Søndre

Strømfjord, c'est juste un aéroport, un hôtel de quatre-vingts chambres et une base amerloque de l'O.T.A.N. dont seul le cinéma est accessible aux touristes éventuels. On peut faire des emplettes au supermarché de l'aéroport, tirer des coups fumants à l'hôtel et revoir *Docteur Jivago* en v.o. à la base ricaine. Sorti de ça, t'as droit qu'au footing l'été ou aux glissades l'hiver. Le pays du verglas, c'est pas terrible pour les vacances. Dans cette fabrique de banquises, les autochtones deviennent neuneu en très peu de temps : les montagnes de *gelato* et les nuits de six mois qui leur tombent sur l'idéal. Au Danemark, on dit des gens neurasthéniques qu'ils sont devenus groenlandais !

L'endroit idéal pour passer une nuit de noces de cent jours (si j'ose dire).

J'admire cette chose inouïe qu'est l'inlandsis, c'est-à-dire ce phénoménal glacier de 2 700 kilomètres de long, sur à peu près 1 000 de large et 3 de haut qui constitue le Groenland. En le contemplant, tu crois avoir changé de planète. C'est une fabuleuse désolation, infinie, miroitante, qui te flanque la notion de ton insignifiance. Presque insoutenable à contempler du ciel, tellement cela est vaste, tellement cela recule les limites habituelles de notre vue. Des Alpes rognées, aplaties, qui iraient du Sahara à la Baltique ! J'en biche le vertigo d'avoir ça sous moi. J'imagine ce qui se passerait si Marika allait se poser au cœur de ce glaçon monumental ! Mourir de froid ? Sans doute, mais plus rapidement, mourir d'agoraphobie.

Elle tire sur la gauche en direction de l'océan d'un gris hideux et convulsé. Bientôt, nous nous posons sur la piste internationale de Søndre Strømfjord (ça se prononce comme ça s'écrit).

« *Follow Me* »

C'est écrit en caractères noirs sur fond jaune au fion d'une jeep carrossée. Nous suivons le terrestre véhicule jusqu'à la zone réservée aux vols privés.

Ouf !

— Pas trop fatigué ? me demande ma fabuleuse pilote après avoir ôté son casque d'écoute.

— Un velours ! réponds-je.

En fait, si tu veux recueillir mes confidences intimes, j'ai le trouduc tellement crispé par l'appréhension qu'il va me falloir huit jours de rééducation anale avant d'oser affronter une lunette de gogues ! Mes mollets me font mal et j'ai la paume des paluches plus trempée que la culotte de ta grande sœur lorsque je l'emmène au cinéma.

C'est bon de retrouver la terre ferme, quand bien même elle ne fait que bordurer un pain de glace comme l'inlandsis.

Tout de suite, le froid me saute dessus. Un froid plus tranchant que l'acier ; un froid « cru » qui t'inonde comme de l'eau. Elle a été bien avisée de me faire mettre un pantalon en toile fourrée, Marika, ainsi qu'une veste de loup et une toque de même métal.

Elle souscrit aux formalités habituelles, se décombinaisonne avec promptitude. Madoué ! Dessous, j'avais pas vu ! Un ensemble en renard rouge ! Pauvres renards qui s'habillent chez Revillon ! S'ils se fringueraient en synthétique, ils se feraient plus vieux !

Dans cette tenue sport, elle en jette à toute volée, ma belle amazone des cieux ! Tu peux l'emporter chez Lasserre, t'aurais pas l'air d'un vannier ambulant avec une telle moukère arrimée au bras ! Se sabouler pareillement pour venir glander dans une contrée aussi désolée, ça déjette ! Un coin si glaciaire que t'aurais intérêt à passer tes vacances dans la chambre froide de ton louchébem pour prendre des bains de soleil !

Toujours décidée, elle arque en direction des bâtiments de l'aéroport.

— Je suppose que votre enquête commence ici, dit-elle, puisque c'est là que votre mystérieux Jakobsen a pris contact avec le sol groenlandais ?

Elle voit juste ; c'est pourquoi j'opine comme un fou.

— D'après ce que vous m'avez dit, il aurait débarqué à Søndre Strømfjord mardi de la semaine passée ?

— Selon mes calculs, oui.

— En cette saison, le trafic régulier fonctionne au ralenti, peu nombreux sont les visiteurs, le tourisme est terminé et il n'y a guère que les autochtones qui se déplacent, plus quelques hommes d'affaires venus de Copenhague. Vous avez sa photo ?

— Tenez.

Elle s'en saisit et l'examine sans s'arrêter de marcher, ce qui est rarissime de la part d'une dame, nos fidèles compagnes étant infoutues de parler ou de faire quoi que ce soit en mouvement. Si : juste baiser. Ça oui, elles parviennent, et même savent très bien faire !

Elle parcourt une dizaine de pas de la sorte, puis déclare :

— Je le connais.

L'effarement me peau-de-banane le tempérament et je manque de m'étaler sur le bitume.

— Pardon ?

— Quand je vous dis que je le connais, j'entends par là que ce visage m'est presque familier. Cet homme a dû faire parler de lui il n'y a pas très longtemps. J'ai dû le voir à la télévision ou sur un journal. Jakobsen, dites-vous ?

— Nicolaj Jakobsen, complété-je.

— C'est un nom assez répandu au Danemark. Ce cliché n'est pas très lisible, c'est dommage.

— Il a été pris alors qu'on venait de lui tirer plusieurs balles presque à bout touchant dans la poitrine. Malgré son gilet protecteur, ça a été un véritable coup de boutoir car il s'agissait d'une arme de très fort calibre. Un flingue de pro.

Nous voici à l'aéroport. Y a pas bézef de trèpe. La plupart des gens sont des Ricains de la base.

Marika tient toujours le portrait de Nicolaj et le presse contre son sein droit, ce qui, moi je prétends, est une position enviable pour une photo. Elle ferait ça avec la mienne, je suis certain que ça me filerait la tricotine, car je bande même sur photo, je te le dis sans vantardise aucune parce qu'on n'a pas le droit de taire la vérité.

Je suis songeur de ce qu'elle vient de déclarer à propos de Jakobsen : elle connaît sa frite ; il a « fait parler de lui » (au Danemark, s'entend) récemment. Parler de lui dans quel secteur de la vie ? Domaine professionnel, criminel, artistique, sentimental ?

— Vous ne vous rappelez vraiment pas où vous l'avez vu ?

— Non, mais cela me reviendra peut-être. Bon, nous allons essayer de retrouver sa trace, n'est-ce pas ? En débarquant ici, la semaine dernière, la première chose qu'il a dû faire c'est de s'acheter des vêtements chauds.

— Vous croyez ? bredouille l'éminent policier que je fus et reste.

Elle brandit le cliché :

— Si j'en crois le récit que vous m'avez rapporté, il n'a pas eu l'occasion de se changer depuis que cette photographie a été prise. Vous conviendrez qu'on ne peut tenir longtemps au Groenland dans cette tenue ?

— Très juste. Mais il a pu faire des emplettes à l'aéroport de Copenhague.

— Il est parti très tôt. De plus, il devait chercher à se dissimuler plutôt que de faire des essayages dans des magasins.

Du point de vue jugeotte, elle me rappelle M. Blanc, ma jolie Danoise. Elle a sa forme de déduction basée sur la lucidité et le bon sens.

De sa démarche de soldate, elle fonce tout droit au Shopping Center. Celui-ci est tenu par un rouquin affable qui me rappelle Mathias, mais je vais essayer de chasser cette image débectante de mon esprit. Marika envape le *red man* et te lui débite un plein bol de *rice crispies* avec force sourires et inflexions caressantes. Qu'à la fin, elle lui cloque le portrait sous le tarbouif. Le mec opine sans se faire prier (avec une gonzesse pareille, quel homme n'aurait pas envie d'opiner !). Il bonnit *much*, intarissablement, montrant sa cabine d'essayage et puis des fringues accrochées à des barres de fer montées sur roulettes. M'est avis qu'il s'est saboulé en trappeur, Jakobsen, style Davy Croquette ! Gros pantalon en tissu épais d'uniforme, anorak de nylon doublé de fourrure synthétique, bottes basses également fourrées, gants de laine avec de la peau dans le creux de la main, et enfin casquette à trappon.

En sus, il a acheté un sac de toile renforcée, avec du linge de corps, des lunettes teintées, de la crème pour le visage, un nécessaire de toilette, un rasoir, tout ça...

Elle me met au parfum, fur à mesure, ma chouette équipière. Mais c'est du sous-titrage superflu car je pige tout en direct, la scène étant éloquente.

— Voulez-vous demander à ce charmant garçon si d'autres personnes que nous sont déjà venues lui poser les mêmes questions, Marika ?

Elle transmet. Le rougeoyant dénègue du buste. Et alors, ça me cause un soulagement indicible.

— Personne ne lui a parlé de notre homme, confirme ma compagne.

— Il est seul à tenir ce rayon vêtement ou bien fait-il équipe avec d'autres ?

Marika déballe de nouvelles danoiseries.

— Il est seul. Le supermarket n'ouvre que huit heures par jour.

Fort bien. En ce cas, puis-je admettre que les gens qui ont molesté le vicomte ne se soient pas encore mis en chemin ? Ça paraît duraille à avaler.

Nous remercions le gus. Pour le récompenser, je lui achète moi aussi une trousse de toilette et un rasoir puisque j'ai quitté Copenhague à la précipité, tout comme l'ami Nicolaj.

— Et maintenant ? me fait Marika, lorsque nous sommes sortis du shoppinge cintré.

Elle rayonne. Rien de plus cruel que le désœuvrement pour un individu, qu'il soit mâle ou fumelle. L'inaction, c'est la mère de tous les bâillements.

Elle s'amuse comme une follingue à jouer les détectives, ma jolie Scandinave. En voilà une, tiens, dès que l'occase se présentera, je la raterai pas. Mais je veux rien brusquer. Faut que ça grimpe en nous, le désir, comme la vigne vierge contre le mur de ta voisine, celle qui porte des bas noirs quand elle vient te voir pendant que ta gerce est au marka.

— Maintenant, dis-je, de deux choses l'une. Ou bien Jakobsen est resté ici, en ce cas il se trouve à l'hôtel ; ou bien il est allé plus loin, et alors il lui aura fallu un moyen de locomotion. Quel est celui qui est le plus usité dans ces contrées ?

— L'hélicoptère, répond-t-elle sans jambage ; le bateau le long du littoral et, bien sûr, le traîneau en hiver.

— Selon vous, il a dû prendre quoi ?

— L'hélico, puisqu'il disposait de moyens financiers. Nous nous trouvons au fond du fjord, sur la partie de terre la plus vaste du Groenland. Les espaces libres de glace sont appelés yderland. L'yderland de Søndre Strømfjord est large de 200 kilomètres, or, toutes les agglomérations du Groenland sont situées en bordure du littoral, nécessairement, puisque, hormis la bande de terre côtière, il n'y a que de la glace.

Déjà, elle se dirige vers le guichet des locations d'hélicos. Là, c'est plus un rouquin, mais une fille au visage aplati (qui pourrait lui servir à s'asseoir) et aux yeux en pépins de pastèque qui nous répond. Esquimaude d'origine, la gosse, tu peux m'en croire, Edouard. Dans son uniforme lie-de-vin et avec sa toque aux armes de la compagnie, elle ressemble à une quille de bowling. Je la vampe d'un sourire ravageur, puis laisse opérer ma potesse, bien que cette préposée doive connaître quelques langues plus civilisées que son jargon Vivagel, ce qui me permettrait d'usiner personnellement, mais je peux pas ôter de ses prérogatives à Marika.

Ça bavasse guttural. Enfin, ouf : Marika sort la photo. La gnère acquiesce : Dieu soit loué (puisqu'Il n'est pas à vendre).

Dis, ça filoche rondo notre enquête. Si ça continue

de baigner dans la graisse de baleine, d'ici ce soir on
sablera l'aquavit avec Jakobsen !

Gervaise, la petite Esquimaude se met alors à
farfouiller dans un fichier. Elle finit par en sortir un
bristol jaune qu'elle présente à Marika.

— Il se fait appeler Holger ; m'apprend ma « colla-
boratrice », Sven Holger, négociant en produits phar-
maceutiques.

— Vous êtes certaine qu'il s'agit bien de lui ?

— La fille est formelle : c'est l'homme de la photo. Il
s'est fait conduire à Holsteinborg, qui est la seconde
ville du Groenland : 4 000 habitants environ, ajoute-t-
elle en riant. Port de pêche. Conserveries.

— Dites, vous êtes rudement férue de géographie !
plaisanté-je-t-il.

— Je connais bien celle de mon pays, oui.

Son pays, ce réfrigérateur ?

— Alors, nous allons à Holsteinborg, dis-je. Vous
goupillez ça avec cette Vénus, *please ?*

Drôle de patelin. Si un jour t'as une gonzesse dont tu
ne parviens pas à te rassasier, cours-y, Henri, tu
trouveras tout ce qu'il faut pour une cure d'amour
longue durée : de la literie potable, de la chaleur par
chauffage central, de la viande de renne et des nuits
longues comme la vie d'un chartreux.

La côte est déchiquetée, avec des chiées et des chiées
infinies de fjords, des étendues pelées, des oiseaux de
mer criards. Ici est la fin du monde ; j'entends par fin,
son extrémité. Derrière, c'est l'Arctique de bazar : le
pôle, puisqu'il faut l'appeler par son nom. Des immensités blanches qui rejoignent le noir absolu. Limite de la
terre, donc de la vie. Glace et ciel confondus composant le néant.

La terre est de plus en plus mignarde, mais elle
continue de proposer à ses occupants de drôles de
contrées.

Holsteinborg, y a pas de quoi se mettre la queue en
trompette ! T'as le port, très actif. Quelques conserve-

ries de poissecaille à proximité. Et puis la vieille ville qui va sur ses deux siècles. Plus quelques bâtiments modernes, parmi lesquels le lycée Rasmussen où se tient l'exposition de l'art artisanal groenlandais. On a le choix entre deux hôtels : le *Holsteinborg* (6 chambres) et le *Sømandshjemmet* (20 chambres et une cafétéria sans alcool, les cons !).

Nous descendons à ce dernier. C'est Marika qui continue de s'occuper de l'intendance. On nous refile deux chambrettes bien proprettes situées à chacune des extrémités d'un couloir. Est-ce elle qui a exigé cette déplaisante topographie, ou s'agit-il du hasard des disponibilités ? Mystère ! Misère !

Non loin de notre point d'attache, le restaurant *Mormla* propose ses steaks de renne grillé. La faim nous tenaillant, nous allons lui confier nos gésiers délicats. Bizarre, ce que j'éprouve dans ce pays. Armstrong, en débarquant sur la *moon* devait pas se sentir plus dépaysé que moi. J'éprouve la sensation de fouler le sol d'une autre planète, très lointaine, perdue à des années-lumière de notre brave femme de Terre. Les gens ressemblent à des archipels. Chacun est à lui tout seul et semble dans l'impossibilité de communiquer réellement avec qui que ce soit. T'as une dominante d'esquimaux plus ou moins mâtinés, très asiates avec leurs crins bruns, leur peau jaune et leurs yeux bridés. Certains ont reçu une petite giclée viking qui les a rouquinisés. Et puis tu trouves un peu de Danois, style colonialiste polaire. Le mec qui devait être paumé dans le Jutland ou la Fionie et qui s'en est allé chercher fortune au pays de la morue salée. Mais c'est pas ailleurs qu'on fait fortune. Ailleurs on se fait seulement chier. Pour un émigrant qui devient Kennedy, t'as tout le reste qui devient clodo.

Je préfère claper du poisson que du renne. La viande de mammifère m'a toujours intimidé. Bouffer de l'homme ou du goret, raconte-moi la différence ? Déjà, végétalien, quand j'y réfléchis trop, ça ne me guérit pas de mes perplexités métaphysiques. Tout ce qui fut graine et qui est devenu froment, tout ce qui fut fleur et donna un fruit, tout ce qui fut simple germe et engendra une pomme de terre reste pour moi étroitement associé au règne animal. Et puis pourquoi appeler cela « un règne » ? Plutôt un cycle, non ? Une fatalité. Nous appartenons à la fatalité animale, toi et moi, l'aminche. Pas la peine du coup, de me gueuler contre ou d'avoir de sales pensées à mon égard.

Bon, alors se nourrir de quoi, Eloi ? D'air et d'eau telles certaines plantes ? Oui, ce serait le rêve. Avec un peu d'argile pour faire le gigot, les dimanches ! On péterait suave. Ou on ne péterait plus du tout. Tu vois, ce qui m'aura le plus marqué au cours de mon passage parmi vous, c'est les déchets. J'aurai charrié cette honte de bout en bout. On ne peut pas être bon et avoir des poubelles à vider, c'est totalement incompatible.

Comme on débute notre bouffement, Marika m'annonce :

— Jakobsen n'est pas descendu à notre hôtel, il conviendra d'aller voir à l'autre.

Elle suit la trace, la mère ! Charogne, elle croche vilain ! Tu sais qu'elle ferait une poularde de *first* classe ? Le sens de la piste, elle a. Plus deux nichemards époustouflants qui commencent à me hanter la journée, alors qu'est-ce que ce sera la nuit !

Et puis y a sa couleur de peau qui me taquine l'épinière également.

Par la baie vitrée, j'aperçois des maisons peintes sur des hauteurs galeuses. Ça devrait être joli puisque les couleurs le sont. Le jaune vif et le vert pomme dominent. Néanmoins ça reste sinistros, d'une morosance qui te dessèche la luette (gentille alluette).

La tortore enverrait au refile un régiment de Cosaques. Marika, elle, se régale, ce qui me désole un peu en secret. J'eusse aimé qu'elle fût normale. A quoi sert d'appartenir à l'élite de son patelin si c'est pour claper des immondices sans s'en apercevoir. Si elle poursuit sur sa lancée, je finirai par moins la convoiter, cette chérie. Quand tu astiques une frangine, c'est tout son corps, estomac compris, que tu t'envoies, mon pote ! Pour cela que je les veux nickel complet, les gerces. Le fion briqué, naturellement ; mais aussi le foie en ordre de marche et l'intestin cohérent. Tu bois pas ton caoua dans une tasse où il reste des traces de chocolat, non ?

— Vous semblez triste, Antoine ?

— Songeur.

— A quoi pensez-vous ?

— A tout : ça m'épuise.

— Au sujet de Jakobsen. Quelle est votre impression ?

— Précisément, je n'en ai pas d'affirmée. Il me semble que ses tourmenteurs n'ont pas retrouvé sa trace et je suis dérouté.

— Peut-être parviendrons-nous à le retrouver avant eux.

— Je l'espère. Notez qu'il ne sera pas sauvé pour autant. Je ne suis qu'un homme, un simple quidam sans arme, eux sont vraisemblablement une forte organisation très structurée.

— Vous êtes sûr que votre vicomte a tout dit à ses agresseurs ?

— Ils l'ont torturé et depuis ils sont sur ma piste à moi, j'en ai eu la preuve à Copenhague.

Elle repousse son assiette sans en terminer le contenu, ce dont je lui rends grâce in petto (ce qui est plus facile).

— Il n'avait pas froid aux yeux, cet homme. Supposez qu'il ait induit ses tourmenteurs en erreur, Antoine ? Qu'il ait prétendu, par exemple, que Jakobsen se trouvait sous votre protection ?

Putain ! Quel chou, Chouchoute ! Ça m'éclate dans le circuit à conneries comme une boîte de Coca trop agitée avant de s'en servir.

Supposons que ce brave Hugues Capet de Flatulence, dont les aïeux guerroyèrent contre les infidèles (avant que de le devenir eux-mêmes à leurs épouses), ne pouvant résister à la torture, se résolve à parler, hein ? Supposons. Au lieu de s'affaler platement, ce

cher héroïque, il branche les forbans sur moi. Sur moi,
flic émérite qu'il admire et qui — croit-il — dispose de
toute l'organisation policière de France, Navarre,
Dom-Tom (de Savoie) et interpolère. Mordicus, il
prétend m'avoir ramené Dudule Jakobsen, ou bien
autre chose, je ne sais pas, autre chose, sauf la vérité.
Du plausible, quoi ! Il me balance dans le circuit *pour
m'obliger à lutter contre ces vilains-pas-propres !* Tout à
fait dans les manières de ce farfelu au grand cœur, de
cet illustre bouffeur de chattes dont la fin tragique laisse
tant de veuves désemparées !

    « Oh ! que oui ! » Elle a tout pigé, la Marika, avec
son intuition féminine jointe à une intelligence hors
paire (pas la mienne, j'espère). Oui, envisageons cette
possibilité et voyons ses conséquences. Tu sais quoi ? Si
les meurtriers n'ont que moi comme maillon pour
retrouver Jakobsen, *je suis tout bonnement en train de
les conduire jusqu'à lui !* T'as bien lu, compris, assi-
milé ? Parfaitement, Armand : *au lieu de voler au
secours de l'homme traqué, je cause sa perte irrémédia-
ble.* S'ils découvrent que je me suis embarqué pour le
Groenland, il en est fait de notre protégé. Et ça, ils vont
le découvrir ! Que dis-je : ils le savent déjà à l'heure où
je te parle : parce qu'ils connaissent mon hôtel, qu'ils
ont fatalement fouillé ma chambre et découvert mon
billet d'avion pour Søndre Strømfjord (à tes souhaits !).

    Donc, le mal est fait ! Il chemine ! Il survole actuelle-
ment l'Atlantique Nord !

    Tout cela, je l'exprime à mi-voix, Marika la belle, la
somptueuse, m'écoute. C'est elle qui a levé le lièvre
blanc du Grand Nord.

    — Alors, on fait demi-tour ? propose-t-elle.

    — Non, il est trop tard ; il faut continuer et réussir !

    Elle avance sur mon poignet la plus jolie main de
femme qu'un gantier eût jamais à talquer, s'en saisit.
Douce caresse !

    — Je vous approuve pleinement ! dit-elle.

    Sur ce, on file à l'autre hôtel, pour chercher après

Jakobsen ; mais là-bas, personne ne l'a vu. Donc, puisqu'il ne s'est rendu dans aucun des deux hôtels de la ville, de deux choses l'une : ou bien il est allé loger chez quelqu'un de sa connaissance, ou bien il a emprunté un autre mode de locomotion pour continuer sa fuite. Où s'arrêtera-t-elle ? S'il espère trouver la sécurité au Groenland, c'est parce qu'il y a une attache quelconque : un parent, peut-être, susceptible de le planquer ? Il va se faire pêcheur, constructeur d'igloos, marchand de bonshommes de neige ou quoi ? Il doit se dire qu'il s'agit de tenir quelques années, qu'ensuite ses tourmenteurs auront renoncé et l'oublieront. Une chasse à courre ne dure pas indéfiniment. Les piqueurs se fatiguent plus vite que le cerf ou le renard.

— Il doit bien y avoir quelque chose qui ressemble à un office de tourisme, ici ? demandé-je.

Marika se renseigne auprès d'un commerçant, lequel nous envoie aux grands magasins K.G.H. où l'on trouve également un bureau de poste et une banque.

J'aime regarder la carte d'un pays. Aussi édifiante que celle d'un restaurant. Tu comprends mieux le patelin, à mater sa silhouette. Une brème du Groenland, pareille à une dent de molosse, permet de réaliser ce qu'est ce bloc de glace frangé de la carie fertile de la terre. Et encore n'y en a-t-il pas sur tout le pourtour !

Je lis le nom des bleds sur la face ouest de la ratiche, côté où nous sommes en ce moment. Me saute aux yeux le fait qu'Holsteinborg se trouve à l'horizontale de Søndre Strømfjord. Plus au sud, sur la côte, se trouve Godthaab, la capitale virtuelle du pays, en tout cas sa principale ville (près de dix mille pèlerins). Ne serait-ce pas là le lieu de destination du fugitif ?

Sur mes instances, Marika s'informe auprès d'un vieux type à cheveux blancs qui s'occupe du tourisme du comment on peut se rendre à Godthaab depuis Holsteinborg. Il répond : par hélicoptère ou par bateau.

Elle lui déballe toute une histoire pour en arriver à

lui demander s'il aurait délivré un titre de passage quelconque à un certain Sven Holger (puisque c'est la nouvelle identité choisie par Jakobsen). Un sourcilleux, messire Chenu. Moucharder, c'est pas son blaud. Il flaire de la vengeance féminine dans ce picotin. La gerce rancunière qui fait la chasse au mari volage. Lui, tout groenlandais qu'il soit, ça fait un demi-siècle qu'il se plume avec une tarderie pas racontable et qu'il emmitoufle à mort, pas qu'on la voie. Alors il grinche. Il dit que son office, tu permets, c'est pas une agence de renseignements. Y a la police, à deux jets de boule de neige, juste de l'autre côté de l'ancienne église bâtie en 1773.

Alors tu sais quoi ? Culottée, ma mentore ! Je te donne en mille, Emile, ce qu'elle déballe de son sac de cuir maintenu à la taille ?

Ma carte de police ! Elle la brandit en vociférant des trucs et en me désignant de son joli menton racé. Du coup, le vioque en paume son dentier et ses hémorroïdes. Il est tout chanstiqué. Son bled perdu dans les arctiques, c'est pas tous les morninges que des perdreaux français y débarquent. Dès lors, le voilà à nous, Julot ! Comment qu'il dégèle ses vieilles couilles hibernantes ! Il va voir ! Quel nom, dites-vous-t-il ? Holger ? Et ce serait quel jour de la semaine passée ?

Il s'affaire. Mais il finit pas branler sa tronche crevassée comme l'inlandsis. Non, il déplore. Il ne trouve rien à ce nom. Marika lui enjoint de regarder mieux. Mais non. *Nada !* Alors, elle lui présente la photo et c'est le hoquet (sur glace) annonciateur de bonnes nouvelles.

— Ah ! lui, là ! Si, bien sûr. Oui, il est venu ; je me le rappelle très bien…

Je traduis au jugé car il cause danois, ce vieux paf ridé, mais ses intonations et mimiques me permettent de suivre.

Marika, accoudée au comptoir de bois clair, tu verrais son cul comme il frétille ! Jamais admiré une paire de fesses aussi belles exprimer si bien la jubilation !

— Il a pris un billet de bateau, m'annonce-t-elle sans tourner la tête vers moi, Ce bonhomme s'en souvient parfaitement car il n'y a plus de touristes en cette saison et il a été son unique client.

— Le bateau pour Godthaab ?

Un instant de bavasse, là, elle me frime.

— Non : celui pour Jakobshavn.

J'empresse de retourner à la grande carte fixée au mur.

Putain ! mais c'est au nord, ce bled ! Bien plus haut que le cercle polaire. Décidément, il remonte dans les immensités, Cézarin ! Tu te rends compte si je suis dingue, moi ! Quitter Saint-Cloud, si douillet, avec des croissants chauds, des blanquettes de dévôt à t'en faire râler de plaisir et une bonniche espanche qui ne demande qu'à t'extrapoler le chipolata ; oui, quitter tout cela pour voler au secours d'un zigoto en danger de mort dans les espaces où se confectionnent les plus fameuses banquises de l'hémisphère Nord, faut être jobastre ! Et à mes frais !

Il se sent plus, l'Antonio chéri ! Claquer un grisbi si chèrement acquis pour secourir un connard qui s'est foutu dans une béchamel impossible, c'est signé ! Tu la rediras, plus tard, à tes petits-enfants, qu'ils sachent bien que ça a existé, un con authentique, avec certificat d'origine.

— Demandez-lui combien de temps met le bateau pour aller à Jakobshavn.

Réponse : trois jours et trois nuits car c'est le dernier bateau de la saison, la navigation devenant périlleuse à cause des nombreux icebergs qui se détachent du grand glacier Isbrae, lequel avance à une allure de 30 mètres par jour, excuse du peu. Les icebergs qu'il produit sont gigantesques et causent des raz-de-marée. Le barlu pris par Jakobsen (lequel, cette fois a encore changé de blaze : il s'appelle Gram) fait du cabotinage, comme dirait Béru, et s'arrête dans une chiée de ports.

En tout cas, un truc m'apparaît sur écran large, l'aminche : si nous affrétons un nouvel hélico pour nous faire transbahuter à Jakobshavn, on reprendra trois jours sur le retard qui nous sépare de Nicolaj. Il n'aura plus dès lors que quarante-huit plombes d'avance. On le gratte, mec ! On le gratte !

A force d'être obsédé par ce garçon, il finit par me devenir familier et j'ai l'impression de l'avoir connu voici très longtemps, en classe, par exemple, ou à mes débuts dans la police.

— Nous allons retourner à l'hôtel pour y récupérer nos bagages, Marika. Dites à ce vieux bougre de nous louer un hélico dare-dare.

Là, le vioque renâcle un brin. Il compulse un registre et lance des coups de grelot. Qu'en fin de compte, bon, d'accord, on pourra décoller d'ici deux heures, mais faudra carmer une rallonge vu que le zinc ne pourra pas rallier ce soir son port d'attache because la noye qui tombe tôt. Je réponds que d'accord. Quand on se lance dans les folies, faut les assumer jusqu'à la faillite !

Mais si tu savais ce qui nous attend...

FAIS GAFFE, SANA :
LE BÉTON N'EST PAS SEC !

L'escalier de l'hôtel donne au milieu du couloir des chambres. La mienne se trouve au fond et à gauche, celle de Marika au fond et à droite. Le côté antipodien de la chose m'avait défrisé sur le moment, mais tu vas voir que j'avais tort et que le Seigneur, s'Il nous inflige de ces petites déceptions, sait parfaitement ce qu'Il fait.

Tout en gravissant les marches, je me convoque toutes affaires cessantes pour une conférence au sommet (de l'escadrin). Je me dis que mon bagage à moi se résume à un sac de plastique contenant le rasoir et la trousse de toilette que j'ai emplettés au market de l'aéroport, ce matin, plus deux slips de rechange car je ne puis supporter que ma frivolette jolie séjourne trop longtemps dans le même calcif. Cette petite (pas tant que ça) princesse a droit aux égards dus à son rang.

Continuant sur la trajectoire vaselinée de ma pensée, je m'ajoute que le taulier vient de nous facturer les pièces bien que nous les libérions sans en avoir usé, ce qui est pratique courante dans la plumardise professionnelle, et moi, en bon Dauphinois, je déplore cette dépense inutile. Chez nous autres, on a le sens des vraies valeurs : on ne jette pas les restes de pain, on fait réchauffer ce qui subsiste du gratin de macaronis ou de courge, on reprise les chaussettes trouées et, en tout état de cause, on consomme ce que l'on a payé. Comment donc « consommer » ces deux chambres ? La réponse ne tarde pas dans mon bulbe inventif. pour

« amortir », il faut prendre un bain dans l'une et baiser dans l'autre, ainsi aurai-je quelque peu « écrasé » les frais.

Aussitôt pensé, aussitôt décidé. Ne me reste qu'à déterminer l'ordre d'accomplissement du programme. Le fessier exquis et ondulatoire de Marika tranche pour moi. Je vais mettre en numéro *one*, la baisouille. Note que pas un instant le matamore suffisant que je suis ne doute de la participation franche et massive de Marika et il me paraît évident qu'elle a une sacrée envie de recevoir ce que je pense lui offrir.

Ça y est, on est dans le couloir.

— A tout de suite ! me lance-t-elle en prenant sur sa droite.

— Oui : à TOUT DE SUITE, renchéris-je en demeurant à son côté.

Nous marchons jusqu'à sa piaule sans qu'elle réagisse. Simplement, elle se tait.

Une fois à sa porte, elle ouvre et entre. Son intention est de me fermer au nez, mais j'ai retenu la lourde, la refoule à l'intérieur et débarque à mon tour dans son dormitoir.

Sans piper (et je le regrette) elle va prendre son sac de voyage en cuir basané à armatures de laiton.

— Vous me pardonnerez, fait-elle, mais je vais procéder à un brin de toilette.

Son français est impec, mais un peu livresque. Y a de l'ampoulage sous-jacent. « Aller procéder à sa toilette », c'est davantage « écrit » que « parlé » comme formule ; mais ça ajoute du piquant à sa conversation. Le « trop châtié » crée un je-ne-sais-quoi de bandant. C'est fou ce que je suis hypersensible, mécolle. Tout me fait réagir, vibrer. Un violoncelle ! Tu pètes contre, et t'obtiens de la musique !

Hé, oh ! dis : je ne vais par tarder à ressembler au connard de service, moi, si elle me plante là !

Et pourtant, oui, poum ! raté ! Elle quitte la chambre avec son sac pour intégrer sa salle de bains ! Et messire l'Antoine, bitoune navrée et cœur en berne, se retrouve

tout seulabre. Que se passe-t-il ? Je ne suis pas son
type, à Marika ? C'est juste l'aventure qui l'intéresse en
moi et le Casanova, elle le propulse dans la boîte à
déchets ? Ou bien elle est indisponible pour le moment
et voudrait pas me déceptionner ? Faut que je vais
attendre mon heure, t'estimes, Onésime ? Note que je
peux me dessaper et me couler dans son plumard. Mais
tel que c'est parti, elle serait cap' de sortir en faisant
semblant de ne pas me voir ! Les frangines, tu sais, j'en
connais long comme le règne de Louis Quatorze sur
leur comportance. Y a pas plus rouées, ni plus mes-
quines quand elles décident. Si tu veux avoir le dernier
mot avec une sœur, faut lui foutre vingt centimètres
carrés de sparadrap surchoix sur le bec ! Et encore, elles
continuent d'exprimer par les yeux !

Allons, ramasse ta fierté, Tonio, file chercher ton
petit sac à la gomme, et vas t'ablutionner, toi aussi.

Bon, je les mets.

Comment la chose se produit-elle ? Je sais plus. Il
conviendrait de se projeter le film au ralenti, de
décomposer le mouvement. Juste à la seconde que
j'ouvre la lourde de Marika, j'ai l'impression que la
mienne, à l'autre extrémité du couloir, vient de se
fermaga. Ça se joue sur des millièmes de secondes,
comme les performances olympiques. J'aurais eu un
battement de cils, ou bien ma main aurait été moins
preste, je m'apercevais de rien. D'ailleurs, très franchement, je ne suis pas réellement certain d'avoir vu. Je te
répète, il s'agit seulement d'une impression.

Peut-être est-ce la bonniche qui monte « faire la
couverture », ou bien rien ? J'attends, perplexe. En
moi s'est décleuché ce merveilleux système d'alarme
qui différencie un flic de ma trempe d'un scaphandrier
névropathe.

Mais les secondes se déguisent en minutes, les
minutes s'enchaînent, formant le projet de devenir des
heures, pour peu que j'y mette du mien, et personne ne
ressort.

Je ne perçois que la viorne archichiante d'un jukebox, en bas, distillant des américaneries vociférées par un groupe danois ! Musique électrifiée ! Décibels sortant du congélateur ! Voix de châtrés ! Je devine ces zigotos dans des accoutrements paroxystiques, avec des cheveux en crinières raides et colorées et des falots de camés devenus orphelins pour avoir assassiné leurs parents.

Je me dis que les portes ont des serrures modernes, si bien que tu peux pas mater par le trou. Je m'ajoute que je ne dispose d'aucune arme. Je m'invite à appeler Marika et à vider prestement les lieux sur la pointe des pieds. Seulement nous ne décollons que dans cent minutes et le (ou les) visiteur(s) auront tout le temps de nous intercepter d'ici là, dans cette ville aux dimensions de bourg où le premier clébard errant se fait remarquer comme s'il était le prince Charles en tenue de polo.

J'ai beau avoir démissionné, je reste un perdreau à cent pour cent. Je me dis : « On te tend un traquenard dans ta chambre. Seulement pour l'instant c'est toi qui as l'avantage parce que tu le sais et que les traqueurs ignorent que tu le sais. Cela s'appelle « une situation privilégiée », mon pote ! Et quand on n'est pas un dérivé de sous-merde, on tire parti d'une situation privilégiée. Alors trouve, Bébé rose ! trouve vite la superbe feinte à Jules qui vous sauvera la mise. »

Franchement, faut être moi pour comprendre mon comportement. Je vais au lit de Marika, arrache la couette qui le recouvre, roule le matelas dans le sens de la longueur et l'empoigne à pleins bras. Auparavant, j'ai glissé la clé de ma carrée entre mes dents.

Me voilà parti dans le couloir, tenant devant moi, ce bouclier élémentaire.

J'ai bien le diable au ventre, non, comme m'assurait ma grand-mère ? Tu me diras pas, mais c'est le goût du risque qui me mène, bordel ! Ce besoin de toujours jouer un numéro plein, que s'il ne sort pas, c'est moi qui sors de l'existence, les pattounes en avant.

Personne à ma porte, je m'appuie contre le mur pour maintenir le matelas vertical tout en libérant ma dextre.

Clic, clic ! j'ouvre la porte. Et tout se joue dans l'intuition, Gaston ! Dans la jugeote, Charlotte ! L'Antoine, il ne possède qu'une chose pour lui, qu'une chose de très réussie : il a du pif ! Si mon appendice nasal correspondait à la puissance de mon flair, j'aurais une trompe entre les oreilles au lieu de l'avoir entre les jambes. L'expérience, que veux-tu. Moi, je me dis : « T'es un garnement (ou t'en es deux) désireux de surprendre un gazier dans sa turne, tu fais quoi, Godefroy ? Tu te planques derrière sa porte de manière à l'avoir par surprise. » Alors, ayant délourdé, je passe un coup de périscope rapidos de côté. Ne vois rien. O.K., je suis dans le vrai ! Et c'est la ruée infernale, avec toujours mon matelas devant moi. Je catapulte le panneau contre le mur, tant pis s'il n'y a derrière, ni agresseur, ni butée d'arrêt, le mur en prendra pour son plâtre ! Mais tu parles ! Elle va pas loin, la lourde ! Oh ! que non ! Au deux tiers de sa trajectoire ça rencontre du mou. Mon coup de boutoir a été si violent qu'une plainte jaillit quelque part. J'amorce un pas de côté. Série de « flop ! flop ! ». C'est un gus armé d'un pétard à silencieux qui me truffe. Pauvre matelas ! Ne pouvant me permettre d'observer le panorama à la jumelle, j'opère une seconde charge, plus intense que la première. Je sens que je coince un mec. Je m'arc-boute à fond. Au début, ça se débat, et puis ça mollassonne. Je continue, pourtant de comprimer, craignant une ruse. Je me dis que j'ai le temps, tout mon temps. Analyse de la situation : ils sont deux. Le plus engagé derrière la lourde a été sonné par son ouverture brutale. Le second a réagi, trop rapidement, le veau. Pas marle ! Il aurait eu l'idée de s'éloigner de son pote pour me bicher à revers, il m'allongeait comme si j'avais été du colin mort sur un lit de glace dans l'attente de sa mayonnaise. Les hommes les plus entraînés, tu vois, c'est le manque de chou qui les a.

Comme plus rien ne bronche, je finis par décider de vérifier l'état des lieux. Alors, mollo, je me recule.

Je perçois un glissement et un bruit sourd. Après

quoi re-silence. Du coup, je me décide à mater, et c'est le choc pour ma pomme ! Franchement, j'étais loin de penser que je venais de causer des dégâts de cette importance, juste en fonçant derrière un matelas. Juge de mon effroi lorsque j'aperçois deux mecs aussi morts que le grand-père paternel de Napoléon Pommier... Le premier, celui qui se tenait franc derrière la porte a été repassé de façon bien étrange. Magine-toi qu'il y a un portemanteau de cuivre vissé dans la lourde. Un simple gros crochet pour suspendre une robe de chambre. Le hasard a voulu que ledit crochet pénètre dans l'œil de l'embusqué, et s'enfonce dans son crâne, tant tellement vive fut ma charge. Le gars est resté suspendu ainsi contre le panneau et du sang noir dégouline de sa blessure, ce qui fait nettement désordre. Quant au second, je crains fort de l'avoir proprement étouffé avec le matelas. Eh bien ! voilà du joli travail ! On peut dire que le Groenland ne me réussit pas ! Je sens qu'il va pleuvoir des calamités surchoix. Pauvre Marika, intrépide, qui s'est lancée dans l'aventure ! Il va être servi son brasseur de bibine qui déteste tant le scandale ! Complicité de meurtre ! Sa souris jolie compromise ! Sûr qu'il en fera une attaque, Carl Morgssen.

Mon sang cogne à mes tempes et, te l'avouerais-je, ce mec éborgné, suspendu à un portemanteau, me donne envie de gerber.

M'armant de courage, je le biche par-derrière, comme j'ai fait avec le matelas, et le soulève. Il se décroche et choit sur la moquette. Je m'empresse de fermer la porte, car il est intimidant de se trouver exposé à la vue des clients d'un hôtel en compagnie de deux vilains qu'on vient de repasser.

Maintenant, il s'agit de réfléchir sérieusement à la situation. Fuir ? Rallier Søndre Strømfjord illico et repartir avec le zinc de Marika ? Illusoire ! Nous n'aurions pas le temps de rentrer à Copenhague, et même, cela ne changerait rien à notre sort puisque le Groenland est territoire danois.

Perplexe (tu le serais également dans ma situation),

je me mets à vadrouiller dans la pièce. La salle de bains. Elle est minuscule, ne comporte qu'un chiotte, un lavabo et une douche. Je me rends ensuite à la fenêtre ; celle-ci donne sur une rue bordée de maisons peintes. Le placard mural est étroit, qu'à peine pourrais-je y faire tenir debout l'un de ces messieurs. Non, c'est naze, mon mec. Et comme un nœud volant, j'ai « rendu » la chambre ! Un immense accablement me biche. Et pourtant tu connais ma combativité ?

Je m'exhorte au calme. « Pas de panique, Sana ! me dis-je, réfléchis. » Pour mieux faire le calme en moi, je m'allonge sur mon lit, les mains nouées derrière la tête.

Et au bout de quelques minuscules broquilles, ça y est, j'entrevois la soluce, Luce !

Faut te dire que le plafond de la chambre est tapissé du même papier cretonne que les murs. Un chouette faf dans les vieux rose. Et qu'asperge dans un angle du plaftard ? Quatre lignes très minces, géométriques, composant un rectangle d'un mètre cinquante sur quatre-vingts centimètres : une trappe ! A l'extrémité du rectangle est une minuscule boucle permettant de tirer dessus. J'amène la table sous la trappe, passe mon index clitophile dans la boucle et tire dessus. Un escalier pliable apparaît alors, que je n'ai aucun mal à développer. L'escalader est un bonheur. Il donne accès à un volume mansardé où courent des tuyaux et où se dresse la masse idiote d'un vase d'expansion. M'est avis que ma chambre a été constituée après la construction du petit hôtel. Elle figurait initialement l'ancienne extrémité du couloir. Les proprios se sont rendu compte qu'en raccourcissant ce dernier, ils pouvaient tirer parti d'un réduit inutile et « trouver » une chambre de mieux. Mais la trappe est restée en place et c'est pour l'escamoter à la vue du client qu'on a tapissé le plafond avec le papelard des murs. Mon cher cœur cabriole d'allégresse.

Hisser ces deux messieurs dans le galetas glacial me vide les muscles mais me rend heureux. J'ai les cannes glaglatantes une fois ce déménagement opéré. J'em-

presse de refermer le trappon. Ouf! Le froid qui règne
là-haut empêchera que mes deux « clients » fouettent
trop vite.

Maintenant, reste à éponger le sang. Pas fastoche et
salement débectant! Faut vraiment avoir la trouille aux
noix pour se livrer à un pareil turbin. Heureusement, la
moquette est chinée, dans les grisaillous, et il ne
subsiste, au bout d'un quart d'heure d'effort, qu'un
cercle d'humidité.

Comme j'achève d'essuyer le portemanteau fatal, on
frappe à ma porte. C'est Marika, pimpante, cadumée,
délicatement fardée et souriante.

— Etes-vous prêt? me demande-t-elle.

— Je vous attendais, ma très belle.

— Que faisiez-vous avec ce linge mouillé?

— Le ménage. Je m'imaginais les hôtels groenlandais mieux entretenus.

Elle a un haut-le-corps en découvrant deux pistolets
nantis d'un silencieux sur la couette de mon lit.

— Grands dieux! Où avez-vous trouvé ces armes!
s'exclame-t-elle.

— Je les ai échangées contre un paquet d'Ariel triple
action, réponds-je. Un jour, je vous raconterai tout ça
par le menu.

— Et ce matelas?

— Celui de votre chambre. Je l'avais pris avec moi
pour conserver quelque chose de vous, mais je vais le
reporter.

Tu sais qu'elle est curieuse comme une pie borgne,
cette greluse?

Si au moins elle baisait!...

L'ÉTAU SE RESSERRE
AUTOUR DE MES OREILLES

La nuit tombe avec un bruit mat lorsque nous touchons Jakobshavn. Cette fois ça pince méchamment !

Pendant le voyage, j'ai passé en revue cette effarante aventure, et si je n'avais pas été attaché à mon siège, je me serais administré cent un coups de pied au cul pour avoir omis une chose primordiale. N'importe quel gardien de la paix de sous-préfecture y aurait songé, moi pas ! Trop accaparé par mes deux refroidis, j'ai omis de vérifier leur identité ! *Mea culpa, mais m'encule pas !* Je te le confie parce qu'on est aminches, jure-moi que ça restera entre nous ! Ça nuirait trop à ma légende, comprends-tu ? Imagine que dans deux trois siècles, un historien balance ce poteau rose sur la frime de mes admirateurs, ça ferait moche ! Comment qu'on m'évacuerait des dictionnaires où j'ai eu tant de mal à me faufiler sans être intelligent ni pédé.

Mais enfin, la bévue est commise, ne reste plus qu'à l'oublier. J'ai remarqué : nos conneries, comme nos gueules de bois, ont besoin de vingt-quatre heures pour nous libérer. Durant ce lapsus de temps, comme dit le Mastar, tu crois que ta vie va capoter et que t'es bon pour la casse. Tu te chierais si t'avais le fion assez large. Mais laisse écouler une nuit et voilà que tu t'es miraculeusement absous. Tu te sens rasséréné. Ta saloperie ou ta monstre bévue te paraît vénielle. Je te jure qu'on est conciliant avec nous-même. On se pardonne bien tout, très vite, pour rester en intimité avec nos B.A. et nos prouesses.

Et donc, j'ai pas eu le réflexe d'explorer les poches de mes deux agresseurs avant de les hiberner au galetas. Leurs fafs eussent été primordiaux. M'auraient permis de connaître leur nationalité. J'eusse fait un pas en avant...

— Vous semblez soucieux ? remarque Marika.

— Parce que je le suis, ma belle.

J'ai décidé de ne pas lui raconter l'épisode sanglant de ma chambre. A quoi bon l'effrayer, la tourmenter ? Toujours est-il que nous voilà peinards pour un bout de temps. Les « messagers de la mort » disparus, d'ici que ceux qui me les ont dépêchés soient au courant de ce qui leur est advenu, j'ai le temps de mettre la paluche sur Jakobsen. Ensuite, avec l'aide de Marika, peut-être sera-t-il possible de le planquer pour de bon. Il faudrait lui procurer une fausse identité et le déposer dans un endroit pépère, plus hospitalier que ce Groenland qui flanque la pétoche.

Jakobshavn, pour être beau c'est beau, ce fjord immense cerné par les glaciers couleur d'acier bruni dans la nuit. La côte découpée, les nombreuses îles hérissées qui s'y baignent composent un paysage que franchement, mon vieux, je me demande ce qu'ils attendent dans le ciné pour venir tourner un film ici ! Pour lors, oui, ça changerait de toujours Paris-Banlieue-Côte d'Azur ! Que t'as l'impression de vadrouiller dans le même film depuis les Lumières *brothers*. Et comme partout, ces maisons de couleur : jaunes, vertes, lie-de-vin, avec des toits noirs et l'entourage des fenêtres blancs.

Dans le port il y a quelques gros bateaux de pêche, quelques cargos, une flottille de barques. Déjà, au large, des icebergs vadrouillent, pareils à des îlots de Chantilly. Le froid, c'est la mort, mes gars. C'est pourquoi on ne peut pas se sentir bien dans un pays pareil. Inconsciemment, tu te crois dans l'antichambre du trépas.

Une fois encore, on se met en quête d'un hôtel et on nous indique un établissement susceptible de nous héberger. Les chambres sont à peine chauffées, plutôt sinistros dans leur sobriété voisine du dénuement. Un lit de fer, une penderie de toile déglinguée, avec une chaise devant la fenêtre. Pis que monacal : carcéral. Seul avantage, on nous les donne contiguës, vu qu'il n'y a pas d'autres clients. Sur le seuil de la mienne, je dis à Marika :

— Ça va vous changer de la maison de votre copain Carl.

Mais elle reste impavide, mon vieux. De la *girl-scout* aguerrie ! Tu lui filerais une niche à chien dans la cour, elle broncherait pas davantage.

— Vous n'aurez pas froid ? m'inquiété-je.

— Sous la couverture, on crée sa propre chaleur.

— A deux, on en crée le double ! je risque.

Elle feint de n'avoir pas entendu. Bon, si elle n'en veut pas, je vais la laisser dans ma culotte, merde ! Je force personne.

Brisés de fatigue, comme on exprime puis (brisé ou recru, t'as remarqué ?), nous nous endormons sans même penser que nous n'avons pas dîné. Faut dire que les dernières vingt-quatre heures ont été rudes ! Quand je pense qu'hier au soir, à la même heure, je bouffais des frites à Tivoli Park en jouant des charmeuses pour une dame salope, et quand je passe en rapide revue tout ce qui s'est écoulé depuis, alors, merci bien ! Ma fuite à travers la fenêtre près des docks de Copenhague, le mitraillage de mon pauvre bonhomme auto-stoppé d'autorité, l'accident de la fille Morgssen, ma rencontre providentielle avec la somptueuse et si efficace Marika, le vol jusqu'au Groenland, avec mes ailes couvertes de glace, la liquidation ultra-rapide de mes deux agresseurs, les trajets en hélico... Je suis mort ! Alors je chique les marmottes, Charlotte. Me file sous la couette, le nez dans le cul et m'endors ! Demain sera peut-être un autre jour. Du moins je l'espère.

Au réveil, je visionne par la fenêtre dépourvue de volets, le paysage superbe et mélancolique (de plomb) qui s'offre à ma vue. Cette immensité infinie, grandiose mais désespérante. Montagne de glace. Montagne de mort ! Faut-il qu'il tienne à la vie, Nicolaj Jakobsen, pour venir se cacher dans ce terrifiant pays ! Moi, je préfère une concession au Paire-Lachaise qu'un igloo dans ce bled.

Je chope mon rasoir et me mets en quête de la salle de bains. Il doit bien y en avoir une ? Le hic c'est que je pige que pouic aux inscriptions du couloir, écrites au pochoir à même le mur peint. La douzaine de « chambres » puisqu'il faut leur donner ce nom est numérotée. Conclusion, je dois me risquer à ouvrir les portes qui ne le sont point. La première où je pénètre donne sur un réduit à linge. La seconde, sur la salle d'eau. Quand je dis salle d'eau c'est que je ne peux appeler ce local une salle de bains pour l'excellente raison qu'il ne comporte pas de baignoire, ni même de lavabo. Le sol est couvert de caillebotis. Il y a un pommeau de douche au plafond qui doit dater d'Eric le Rouge, et un robinet contre un mur. Point à la ligne ! Ah ! non, j'oubliais un porte-savon fait d'une boîte de conserve vide au fond de laquelle on a percé des trous.

Un peu frugal, tout ça, non ? D'autant plus qu'il n'y a pas d'eau chaude.

Par contre, j'ai droit à un lot de consolation exceptionnel : Marika est en train de se fourbir la chattoune à l'eau savonneuse. Elle me tourne le dos et, biscotte le bruit de la douche, ne m'a pas entendu ouvrir. Je reste saisi d'admiration devant ce corps fabuleux, si parfait, si ardent. La chute de reins est plus grandiose que celle du Zambèze, ses cuisses allongées, ses fesses que l'on devine dures comme la pierre, ses seins qui débordent bien qu'elle soit côté pile, la couleur de sa peau, que sais-je encore, tout me pétrifie (c'est le mot). J'hésite entre deux attitudes foncièrement contradictoires : ou bien me comporter en parfait gentleman et relourder le plus silencieusement possible, ou bien agir en San-

Antonio. Ne sois pas surpris, Denis, ni trop réprobateur, mais c'est la seconde attitude qui l'emporte, tant tellement la chair est forte (si elle était faible, j'aurais déjà plié bagages au lieu de te raconter ce psychodrame !).

Dans le couloir, je me défais de mon slip et de ma chemise de jour qui m'a tenu lieu de chemise de nuit, qu'ensuite je pénètre carrément dans le local aqueux dont je referme la porte, mais elle n'a pas de verrou, tant pis.

Je me pointe à deux millimètres et demi de Marika, l'emprisonne, toute savonneuse, dans mes bras puissants et profite de comme elle se tenait pour laisser libre cours à mister Zifolo, le roi de la tête chercheuse.

Tu verrais la réaction de médème ! Une panthère. Rose, mais une panthère quand même, bon gu de bois ! Elle volte d'un coup, à m'en casser le mandrin en deux, ce dont je te laisse estimer le désastre qu'en consécuterait ! Tu l'imagines, le bel Antoine, avec coquette à l'équerre pour baiser dans les coins ! Kif le nettoie-gogues-à-tronche-de-canard qui va racler la merdouille sous le rebord de la cuvette ! Et de me frapper à coups de poings dans le poitrail. Me traitant d'un tas de noms et expressions danoises, parmi lesquelles : *benzinbeholder* (réservoir d'essence), *hvornâr ankommer vi ?* (à quelle heure arrive-t-on ?) et même, même : *tjener, regning* (garçon, l'addition) (1) ; c'est te dire sa fureur !

En moi se livre un dur combat. Je me dis : « Tantonio, c'est ton standinge d'homme qui est sur le tapis. Si tu bats en retraite, c'est la fin immédiate de vos relations. La môme repartira en te traitant de sadique ; ta seule chance de reprendre les choses en main, c'est de ne pas les lâcher, comme l'écrivait l'autre jour l'exquis J'endors-mes-sons (ou Jean d'Ormesson) dans l'*Humanité Dimanche*.

(1) D'aucuns, voire d'aucunes, m'objecteront que ces expressions ne constituent pas des insultes ; sans doute, mais ce sont les rares que j'aie pu dénicher sur mon guide Nagel (à pierre fendre).

En attendant, elle me fait mal, la bougresse. Ces gerces sportives, méfie-t'en comme de la peste, Ernest. Une force quasi masculine. Ce qui me soutient, c'est deux choses en apparence contradictoires, mais je suis l'homme des contradictions. Primo, je continue de goder comme la grande antenne du G.I.G.R. Deuxio, je ris comme un paquet de Camel (1).

Dans une situation de ce type, l'homme qui rit comme un zébu tandis qu'il est abreuvé de horions et d'injures par une femme en fureur, bénéficie d'une arme passive imparable. L'arme qui désarme, comprends-tu-t-il ?

La fille en transe est là, qui s'escrime, se déchaîne, veut absolument te faire mal ; et toi, superbe, tu encaisses en riant comme un promeneur de la rue Quincampoix un jour où Lalalaw privatise les banques. Ce phénomène de fou rire attise sa colère dans un premier temps, mais dans un second, la ruine. Les forces viennent à lui manquer, ton stoïcisme hilarant l'emporte. Et tiaf ! la voilà vingt culs, cette houri. La scène a été exploitée dans différentes comédies américaines dont les plus célèbres furent : « C'est encore mieux sans dentier (dont le titre original disait comme ça : « Smoke, it is belgium tobacco ! » et « What do you want me for », monté à l'Opéra de Paris sous le titre typiquement français de « Madame Butterfly ».

De fait, ses coups faiblissent, mais moi, madré comme un druide (2), je feins de m'écrouler et tombe à genoux devant elle, si bien qu'elle frappe sur mon dos à présent. Ce qui ne m'empêche pas de lui glafouner la rade avec un appétit d'ogre. Tout cela, je te rappelle,

---

(1) Les métaphores de San-Antonio sont uniques au monde. Au lieu d'user de l'expression ritournelle « rire comme un bossu », il emploie « rire comme un paquet de Camel », parce que l'illustration de ces blondes cigarettes est un dromadaire et que le dromadaire est bossu ! Bravo, San-Antonio, vous n'avez pas volé votre prix Nobel ! *François Nourrissier* (qui est un père pour moi).
(2) Pourquoi comme un druide ? Pourquoi pas ?

sous une cataracte d'eau froide, alors là, youyouille, quelle santé !

Je note qu'au bout de pas très longtemps, elle a cessé de me marteler ; et moi de rire. J'enregistre ses deux mains exténuées qui m'empoignent les oreilles, non pas pour me refouler, mais pour m'appréhender. La joie de la victoire m'inonde, ce qui est de saison. La prude Marika cesse de se tenir droite comme un « i » pour s'helléniser en formant le plus chouette « y » renversé en compagnie duquel j'ai un tête-à-tête très poussé. Les cris à mam'zelle reprennent, toujours en danois, que veux-tu, après tout, c'est sa langue maternelle ; mais plus du tout sur le ton vindicatif. Au contraire, il marque des exhortations indéniables. Moi, tu penses que je vais me contenter de la tyrolier en direct ? Allons donc ! Je ponctue, mon grand ! Je ponctue : la pince de homard, tu connais ? C'est pas ce que tu pratiquais l'autre après-midi à la fille de ta concierge tandis que la cerbère épongeait l'escadrin ?

Marika qu'a jamais rencontré ça dans son patelin de merde, s'extasie sur l'efficacité de la manœuvre ; elle dit comme quoi, ces salauds de Français, on aura beau dire et Bodard, question du braque, ils y tâtent ! Gens puants, va-de-la-gueule, fiers-à-bras, mais le zizipan-pan, toujours médaille d'or ! Le plus minus, de chez nous, le glandu à petite moustache de rat et gueule de raie, mince des genoux et du bulbe, lorsqu'il se met à l'établi, il se passe des choses. Et qu'il vaut mieux partir en fantasia-trou-de-balle avec l'apprenti plombier venu te changer un joint qu'avec le prince d'Edimbourg.

Bref, mon succès est d'autant plus intense que la lutte fut ardente. Les oppositions les plus farouches, une fois vaincues, donnent les alliances les plus fructueuses.

On passe de l'ivresse de la rage à celle de la passion. Je sais un brasseur de bière qui, dorénavant, sera considéré comme un con par la fille la plus ravissante du Danemark et des îles Féroé.

Te décrire, plan par plan, la frénésie de ce qui s'enchaîne ne ferait que désamorcer le prodigieux intérêt que tu portes à cette œuvre maîtresse de ma carrière. Alors, pas fou, je vais m'abstiendre. Que toujours en est-il, on finit par se retrouver sur les caillebotis. Marika de dos, moi de genoux. Et l'eau tombe toujours du plaftard. A un moment de nos ébats, je sais que la porte s'ouvre et qu'une servante esquimaude avance sa tête vers nos prouesses ; les admirer longuement avant d'éclater en sanglots et de repartir. Pourquoi ces larmes ? L'admiration ? Le regret de ne pas participer à cette liesse des sens ? Se dit-elle qu'elle ne pourra plus vivre en paix avec sa chattoune, maintenant qu'elle sait que ÇA existe ? Chère fille des banquises obligée de se frotter les miches avec un glaçon pour les réchauffer ! Que de compassion tu m'inspires, et comme je voudrais pouvoir te combler également. Mais il est impossible de se distribuer avec largesse. L'homme de ma trempe doit s'économiser quelque peu car, né très jeune, j'entends mourir très vieux.

Je veux, sur ce sol incertain fait à quatre-vingt-quinze pour cent de neige millénaire congelée, donner complète satisfaction à l'héroïque femme qui m'y a conduit. Et vois-tu, la volonté mène aux plus grandes prouesses. C'est une femme dévastée physiquement, mais pantelante de bonheur, rassasiée jusqu'à la garde, ivre de la plus absolue gratitude, qui sort de ce local aqueux, à queue ! Nous fumons de belle fatigue. Nous sommes meurtris de partout à cause des lattes de bois, à moitié asphyxiés par l'eau incessante qui a lavé nos amours au fur et à mesure qu'elles se perpétraient.

Très grand moment de ma vie, je le con fesses. Eblouissant ! Terrible !

Au seuil de sa chambre, je la quitte pour la laisser se vêtir. Nous n'avons plus échangé un mot depuis les folles onomatopées de la passion.

Je m'habille à tâtons, comme si je me trouvais plongé dans la ténèbre, recevant une poussée d'Archimède au

fion ! Des coïts, mon frère, j'en ai accompli des fagots,
mais ce dernier me transcende étrangement. Je ne
ressens pas la sotte satisfaction du mâle repu, voire la
suffisance du Casanova qui inscrit une marque au
crayon feutre sur son zob après un exploit, comme le
regretté Guynemer le faisait sur le pucelage de son
avion après chaque zinc ennemi abattu. Non, j'éprouve
quelque chose de plus fort et de plus mystérieux. Car,
ce qui vient d'avoir lieu ne s'apparente pas à une
coucherie, mais à des noces.

— Où allons-nous ?

— Visiter les autres hôtels pour voir si Jakobsen...

On dirait qu'il n'y a rien de changé dans notre
comportement. On ne se tutoie pas. On ne se fait pas
de mamours, de gouzi-gouzettes. On n'échange pas des
œillées éperdues poisseuses comme des bonbons sucés.
Marika reste digne, calme, presque lointaine. Et moi,
ce con, entortillé d'une timidité imprévue, je marche à
son côté d'un pas de chef d'industrie faisant visiter
l'usine à môssieur le Pommier sinistre.

Le bol !

A l'*Hvide Chibr,* un établissement moderne pareil à
un dispensaire dentaire de grande banlieue, pile le
gérant exclame au vu de la photo qu'il reconnaît
parfaitement ce monsieur. Jakobsen a pris encore une
nouvelle identité. Assez puéril, comme système. Il croit
brouiller sa piste en changeant de nom, le pauvret. Ce
qu'on apprend est réjouissant tout plein. On brûle,
mon gars ! On brûle. L'ami Nicolaj a passé quarante-
huit heures dans cet établissement et en est parti avant-
hier. Oui, il y était seul, mais il a reçu la visite d'un
homme du pays dont le job consiste à organiser des
voyages en traîneau à chiens : un certain Narsuaq.
Cette rencontre tendrait à confirmer le fait que Jakobsen remonte en direction du Nord inhospitalier. Seigneur, entend-il se planquer au pôle ? Creuser un igloo

et y vivre le restant de ses jours en écrivant ses mémoires dans la glace avec son urine ?

Tu l'as deviné, René : on fonce chez le sieur Narsuaq. Je comprends qu'il se soit dérangé pour rencontrer Jakobsen car il habite à dache, ce mec. Pour y aller, on emprunte une sorte de fourgonnette commerciale de l'hôtel faisant taxi accessoirement. Le véhicule biliaire (il est jaune) est piloté par un type dont les parents devaient bouffer du phoque cru y a pas longtemps encore. Belle gueule à l'huile de baleine, cheveux longs tirés en arrière et liés par un bout de ficelle, kif certains habitants des Minguettes. Il porte une veste chamarrée, avec un motif de perles multicolores au col. Ici, la circulation c'est du velours, étant donné le peu de carrioles ; n'empêche qu'il faut se gaffer car le sol est déjà encroûté de neige glacée.

Le dénommé Narsuaq possède une sorte de ferme en bois, dans un lieu escarpé d'où tu vois plein cadre le magistral glacier Isbrae. Le bâtiment est de couleur jaune pisseux, avec des dépendances de rondins et d'immenses enclos grillagés où sont parqués ces chiens de traîneau si beaux à regarder et si difficiles à caresser car n'y a rien de plus féroce que ces véroleries et t'as intérêt à dormir en compagnie d'un lion affamé plutôt qu'avec l'un de ces toutous sauvages.

La fourgonnette stoppe, déclenchant un concert d'aboiements forcenés. Une grosse daronne paraît, avec des chiares accrochés à sa juperie. Cette fois, on a largué les Vikings pour les Esquimos ! Bien sûr, c'est civilisé, les lardons vont en classe et regardent la télé, mais on comprend, aux mines craintives des uns et même des autres, qu'il manque encore quelques générations *in* pour obtenir du citoyen de consommation courante.

Marika demande après le maître des lieux. La grosse femme répond brièvement, mais c'est une invite néanmoins car nous pénétrons dans l'antre de cette famille. Les sièges se composent de rondins de bois montés sur pied. Des peaux sont accrochées sur les murs. Un grand poêle de fonte rougeoie et c'est lui qui, plus que la fenêtre, éclaire la pièce, du fait que les vitres sont remplacées par des panneaux de bois.

On se dépose, et la femme nous sert, sans nous l'avoir proposé, un thé brûlant dans des tasses de bois dont je te dis que ça, question propreté.

Par moments, un bruit formidable comme une salve d'artillerie déchire l'air et roule longuement dans l'infini du ciel, éveillant des échos à répétition.

— Qu'est-ce que c'est ? demandé-je à ma compagne.

— Les icebergs qui se détachent du glacier Isbrae.

Dans l'intervalle de ces déflagrations puissantes, un autre bruit, feutré et régulier celui-là, se fait entendre dans le fond obscur de la pièce, là que se trouvent les couches de la maisonnée. L'endroit forme alcôve et constitue une espèce de vaste niche devant laquelle pendent des peaux.

A force de concentrer mon attention dans cette direction, je finis par déceler une silhouette en mouvement. Elle se trouve à l'horizontale et, Dieu me pardonne, je te parierais n'importe quoi contre autre chose qu'il s'agit d'un couple en train de bien faire ! Non, mais tu juges ? Moi, mes dons de nyctalope, j'ai dû t'en parler dans l'un des seize mille ouvrages ayant précédé celui-là. J'ai le chic pour très vite m'habituer à l'obscurité et y distinguer ce qui reste indiscernable pour des regards ordinaires.

J'ai vu juste, Auguste : un grand type est bel et bien occupé à calcer une toute jeune fille sur un amoncellement de fourrures. Ils sont habillés car l'Eskimo a pris l'habitude de ne dégager que ses attributs pour copuler, histoire de ne pas se geler les couilles, ce qui ici revêt une authenticité angoissante.

Au bout d'un moment, le bruit cesse : l'homme vient d'éternuer de la membrane. Il se relève, rengaine coquette dans sa suite privée et s'avance vers nous. Sa partenaire, une jeune infante qui pue la graisse rance, se lève à son tour et va à la table pour y décortiquer des crevettes, ce qui me semble constituer un parfait enchaînement.

M. Narsuaq nous salue avec urbanité. Un beau sourire assombrit sa face de melon (car il a les dents noires). Marika se met à discuter avec lui. Je la regarde, fasciné par sa grâce et son énergie. Une femme de première ! L'une des grandes rencontres de ma vie, j'en prends progressivement conscience.

Ça s'est constitué insidueusement. Certes, d'emblée je l'ai admirée. Son énergie, son modernisme, m'ont impressionné. Mais depuis la scène de la salle de douches, je me sens lié à elle. D'ordinaire, après une bonne fortune, j'ai tendance à chiquer les gros bras vis-à-vis de moi-même, à me marquer un sot contentement de tombeur. Cette fois, ce que je ressens est ouaté, joli, vaguement mélanco. Y a de la musique douce dans mon cœur, si tu veux tout savoir.

— C'est très intéressant, déclare tout à coup Marika après un assez long temps de converse avec l'Esquimau tringleur. Jakobsen vient de payer une fortune pour fréter un attelage. Il entreprend un voyage de plus de mille kilomètres ! Comme il ne sait pas utiliser ce mode de locomotion très particulier, Narsuaq lui a confié son autre fille pour assurer le parcours.

J'interromps :

— Son « autre fille » ? Voulez-vous dire qu'il est le père de cette jouvencelle ?

Et je désigne la décortiqueuse de crevettes.

— Je le crains, murmure Marika en rougissant.

— L'inceste ne serait-il pas l'une des principales industries du pays ?

Elle ne répond pas, étant trop réservée pour s'aventurer dans ce genre de propos.

— Vous disiez donc que notre homme s'est lancé dans un long voyage ?

— Il paraît. Il est parti hier seulement après avoir acheté en ville une multitude de denrées et d'accessoires pour pouvoir accomplir le voyage.

Je tressaille.

— Donc, nous nous sommes pratiquement trouvés ensemble à Jakobshavn, lui et nous ?

— Pas tout à fait, mais il s'en est fallu de quelques heures.

— Ce vieux saligaud sait où il va ?

— Dans la région de Thulé, tout au nord.

Au fond de ma mémoire, l'air d'opéra tournique : *Il était un roi de Thulé...*

— Pourquoi, s'il se rend aussi loin, y va-t-il en traîneau et non en hélicoptère ?

— Je suppose qu'il avait peur d'être trop aisément repérable s'il allait là-bas en hélico, déclare ma chère Marika. C'est l'ultime tronçon du voyage et après tout il a tout son temps, non ? Les semaines qu'il va mettre à franchir cette longue distance, c'est autant de temps susceptible de démobiliser ses poursuivants, car pour le retrouver dans cette immensité...

— La vie doit être intenable, dans le Grand Nord ?

— C'est le point le plus septentrional de la Terre et aucun touriste ne s'y rend. Pendant la guerre, les Américains ont obtenu de notre gouvernement d'y installer une base stratégique. Jugez de la stupeur des Esquimaux qui vivaient là-bas comme à l'époque de Rasmussen, en voyant débarquer une armada de navires et d'avions et s'ériger des radars et un terrain d'aviation !

— Les Ricains sont toujours à pied d'œuvre ?

— Plus que jamais.

Alors là, tu vois, je dodeline. Je me dis que le gars Nicolaj a une idée de derrière la calbombe en fonçant vers Thulé. Peut-être est-ce dans ce coin ultime du monde qu'il entrevoit son salut ?

Les odeurs abjectes, c'est duraille de s'y habituer. Un délicat de l'olfactif comme mézigue, souffre mille morts dans ces remugles d'huile rance, de crasse, de corps négligés.

Je sors un instant afin de respirer. Cent clébards aux yeux bleus et aux babines voraces me traitent de con en samoyède canin. Je respire l'air glacé pour me régénérer les narines. Le glacier machin (j'ai oublié son blaze), le pourvoyeur *number one* en icebergs de l'Atlantique Nord débite des blocs de glace gros comme des gratte-ciel dans un fracas de tonnerre. Je me tourne vers le nord, imaginant Jakobsen, sur un traîneau, avec une nana puante en train de guider l'attelage. J'avais pas noté la moindre trace féminine à son domicile de Copenhague. Ça ne signifie pas fatalement qu'il soit hostile au beau sexe, mais ça dénote en tout cas qu'il n'est pas non plus un inconditionnel. Remarque, la fille Narsuaq, elle ferait pas triquer un singe, pour peu qu'elle ressemble à sa frangine. Des prix à réclamer pareils, y a que papa qui est cap de se dévouer pour les calcer ! C'est plus de l'inceste, c'est de l'abnégation. Lorsque je rentre dans le logis pestilentiel, ma décision est prise.

— Marika, dis-je, voulez-vous demander à cet infâme bouc s'il est en mesure de me fournir un second attelage avec cocher, et si oui, à quel prix ?

Elle traduit. La discussion est longue, animée.

Bibi, je réfléchis comme quoi je suis complètement pincecorné de dépenser mon pauvre grisbi à organiser des expéditions arctiques. Il va se retrouver sur la paille, l'ex-commissaire. L'Armée du Salut ! La soupe popu ! Tu le rencontreras un de ces quatre en train de faire la manche à l'angle d'un pont ou à la sortie de la grand-messe, le dimanche !

— Pour nous conduire à Thulé, il exige la contre-valeur en couronnes danoises de quatre mille dollars, plus le montant des provisions de route. Mais j'en payerai la moitié, ajoute-t-elle.

Là, je réagis doublement :

— Il est hors de question que vous m'accompagniez, Marika !

— Pourquoi, vous ne voulez plus de ma présence ?

— Voyons, le voyage tourne à l'expédition et risque de durer plusieurs semaines.

— Et alors ?

— Mais que penserait votre ami Morgssen ?

Elle me regarde hardiment.

— Vous ne me connaissez pas, San-Antonio. Pensez-vous que je me considère encore comme sa compagne après ce qui s'est passé ce matin dans la salle d'eau ?

Elle m'interloque, cette merveilleuse. Je sentais bien que j'avais affaire à une damoiselle pas commune.

Voyant ma stupeur, elle poursuit :

— Pour vous, Français, je sais que ça ne tire pas à conséquence, vous recommencerez demain avec une autre que vous oublierez sitôt votre pantalon refermé. Mais pour moi, l'amour a une signification. Après l'adolescence, j'ai été fiancée à un garçon qui est mort accidentellement. J'ai eu un gros chagrin et pendant plus d'un an je n'ai fréquenté personne.

« Et puis j'ai fait la connaissance de Carl Morgssen. C'est un homme intéressant, brillant même. Il a eu un coup de foudre que je ne partageais pas, mais son assiduité a fini par me toucher et je suis devenue sa maîtresse. Davantage, même : une sorte d'épouse sans le mariage. Je l'ai aidé à élevé sa fille, moyennant quoi il m'a offert une existence dorée. Celle-ci a pris fin ce matin. Je lui ai déjà écrit, pendant que vous vous prépariez, pour lui révéler ce qui venait de se passer entre nous et lui dire adieu.

« Donc, vous le voyez, je suis complètement libre. Mais rassurez-vous, San-Antonio, je ne me jette pas à votre tête, comme l'on dit chez vous. Je suis parfaitement consciente que cette chose merveilleuse qui s'est passée ce matin est sans lendemain. Simplement, je me trouve dégagée de toute obligation et j'aimerais pousser cette chasse à l'homme jusqu'au bout car elle est passionnante. Mes parents m'ont laissé quelques biens et j'insiste pour participer aux frais de l'expédition ; vous m'offenseriez gravement en refusant ma quotepart. »

Ainsi parle Marika, dans cette bauge enfumée puant l'huile, le cul et la crevette (plus aussi la fourrure moisie).

Je voudrais répondre quelque chose de senti. Mais quoi ? Me voilà dépourvu.

Je suis ému jusqu'au trognon, Gaston. Je me dis que merde, ce Danemark où l'on va acheter les godemichés les plus performants du monde, il est drôlement paradoxal en enfantant des filles comme Marika. Ça existe donc, des filles honnêtes ? Vraiment, farouchement intègres ? Des pour qui l'acte d'amour n'est pas un coup de bite ramassé en passant, mais quelque chose de sacramentel ?

Lui sauter au cou ? Non, pas ici, devant ces Esquimaux ahuris.

Pas à cet instant fabuleux où les glaces de l'inlandsis explosent dans mon âme. Au contraire, je reste inhumainement calme.

— J'accepte, réponds-je seulement.

Elle reprend sa discuterie avec le père Narsuaq.

— Bon, tout est arrangé, déclare-t-elle un cardeur plus tard ; il n'a qu'une exigence : faire une halte de quarante-huit heures à Upernavik pour y disputer je ne sais quel tournoi. Je n'ai pas très bien compris, mais la chose lui tient à cœur.

— Eh bien, nous nous arrêterons à Upernavik et nous serons ses farouches supporters, déclaré-je.

UN VOYAGE BIEN FRAPPÉ

Les ceux qui s'imaginent qu'un voyage en traîneau à chiens est une partie de plaisir se font des illuses grosses comme la prétention du général MacArthur.

Avec ces bougres de clébards de chiasse, crois-moi, Benoît, c'est pas de la tarte ! Moi, Jack London, tu parles, je les voyais filocher comme des dards sur la glace. Bien en ligne, la langue sortie. Et les fers du traîneau crissaient doucement. Le vent de la vitesse composait une musique douce. On percevait, en surimpression, le halètement des bêtes, lancées à fond de train.

En réalité, ces cadors sont charognards en plein. Toujours à s'arrêter pour se tirer une bourre, les salopards ! Tu penses, à ce point teigneux, faut qu'ils s'empoignent à tout bout de champ avec leurs gencives violettes et leurs crocs blancs si pointus que tes miches en portent les stigmates avant même qu'ils ne te les aient carrés dans le fion.

Ou alors, quand ils ne se chicornent pas, ils s'arrêtent, selon leur humeur. Le père Narsuaq, il a beau faire des bruits de glotte, pousser des glapissements de cormoran constipé, ou bien des cris d'un qui prend un panard tout suprême consécutivement à une pipe royale de grande veneuse ; oui, il a beau tout ça, les vilains toutous n'en font qu'à leurs gueules. Quand ils en ont plein les pattounes de tirer nos couennes, ils se croisent les bras.

Et alors, leur maître égosille des « Hoop ! » des
« Hardlii... », d'autres conneries onomatopiennes, que
même il va transactionner avec le chien de tête, un
triste sire au regard pas franco le moindre. Lui refile
une petite gâterie, une caresse... Bien le solliciter, le
bestiau. Et au bout d'un temps, on repart.

On longe le bas de la calotte glaciaire, là que la neige
durcie est déjà épaisse. Les clébards foncent un
moment, toute vibure, excités par leur propre
prouesse. Ça dure une demi-heure, quarante minutes
au plus, et puis ils fomentent un nouveau complot
contre l'homme. Je me dis qu'avec tous ces temps
morts, on n'est pas près d'arriver à Thulé ! Nice-
Dunkerque à cette allure, c'est pas pour bientôt. Note
qu'on n'est pas gênés par la circulation. Quand on
frictionne à mort, on franchit du kilomètre.

Marika est assise sur le traîneau, le dos appuyé à un
ballot de victuailles. Moi, je suis debout auprès de
Narsuaq, sur une traverse, cramponné au mancheron
de gauche. L'Esquimau m'a expliqué la posture, par
mimiques. A certains endroits, des cumulus de glace
nous obligent à descendre pour pousser. Là encore, les
chiens renâclent. La domination de l'homme, franchement, ils sont pas pleinement convaincus. Y a des idées
de mutinerie perfide derrière leur front triangulaire.

On fonctionne de la sorte jusqu'à la tombée du jour.
Et alors notre guide dresse la tente dans une dépres-
sion. Il donne la bouffe aux chiens, allume un réchaud
fonctionnant avec des petits cubes de carburant solide
et nous prépare une gamelle abominable dont le seul
mérite est de contenir de la jaffe brûlante.

Un sale coup de bourdon s'empare de ma merveilleuse et de moi, malgré que nous soyons blottis l'un
contre l'autre dans un sac de couchage à deux places.
On se sent archiperdus dans l'immensité. Les vadrouil-
leurs du cosmos, au moins, sont suivis seconde par
seconde et pris en charge depuis la Terre. S'ils ont un
turbin, on leur explique ce qu'ils doivent maquiller
pour se dépanner, car y a rien de plus efficace que le

service après-vente d'une fusée. Nous : pas de radio, pas de plan de vol. On est à la merci d'un accide, voire d'une méchante angine.

Je serre Marika très fort contre moi.

— Je voudrais vous faire un enfant, lui chuchoté-je à l'oreille.

Ça m'est venu spontanément, sans réfléchir. Je crois bien que je balance ce vanne à une gonzesse pour la première fois de ma vie. A plusieurs centaines de kilomètres au-dessus du cercle polaire, ça veut dire quelque chose, non ?

Il a une frime intéressante, dans le fond, ce vieux tringleur de Narsuaq. Son teint, tu penserais à une méchante hépatite virale, mais les pommettes très hautes, les joues très creuses, le regard très enfoncé et le cheveu très bas lui composent une bouille étrange de divinité étrusque.

Je le regarde préparer le thé sur le pas de la tente, avec des gestes lents, mesurés. Il semble méditatif. Son papa devait encore se servir d'un harpon pour chasser le phoque sur la banquise ; lui, il se sert d'ustensiles modernes. Ainsi, il possède un transistor qu'il a branché en sourdine pour écouter Radio Godthaab. Les nouvelles du morninge. Comme quoi le gouverneur s'est fait enlever un ongle en carnet (comme dit Béru) et que les prix de la crevette chutent.

Le plus tocard, dans ce genre d'expédition, c'est ce qui touche à la toilette. A cause du froid, on est obligés d'ablutionner menu, sous la tente, avec le peu d'eau chauffée à la médiocre flamme du réchaud. A l'arrivée, on risque de fouetter sauvage ! La présence d'une dame dans l'équipe ne facilite pas les choses, Rose ! Aussi, quels ne sont pas ma surprise et mon ravissement de voir apparaître Marika en slip et soutien-gorge, avec une serviette et une savonette dans ses jolies mains. Elle s'isole derrière le tumulus glaciaire pour se fourbir à la neige fondue. Ça me décide à l'imiter et je m'entreprends une belle toilette franche et massive en claquant si fort des dents que tu te croirais dans une boîte de Sévillans en Andalousie.

Je m'achève la géographie intime par l'oignon et c'est alors qu'un grondement retentit depuis les confins. Je crois tout d'abord à un déversement d'icebergs, mais le bruit enfle, se précise et devient un ronronnement d'hélico.

— Cachons-nous ! crié-je à Marika.

L'instinct ! Moi, tu me connais ? Imparable. Je *sens* les choses. On se catapulte dans la tente et moi, rapide comme les clercs de nos terres, j'arrache le pieu de soutènement. La tente s'écroule, toute fluide soudain et nous devient couverture.

Pourquoi agis-je ainsi ? Tout niaisement parce que s'il s'agit de gens en mission de repérage lancés à nos trousses, ils doivent avoir la certitude que Narsuaq est seul. D'en haut, cette tente ne ressemble plus à un abri. Nos volumes disparaissent sous ses plis. Ce que pense notre guide de cet agissement ? Je l'ignore, m'en fous, et t'en fais cadeau, que justement je ne savais pas quoi t'offrir pour ton anniversaire.

Le grondement se précise. Il devient vacarme. Les cadors, pris de panique, se foutent à hurler à la mort.

Par une fente, je vois survenir l'appareil au-dessus de notre campement. Il descend de plus en plus et, dès lors, les chiens deviennent fous. Je me dis que s'il se pose, on risque de passer un sale quart d'heure. Mais non : parvenu une vingtaine de mètres au-dessus de nous, l'hélico se paye un point fixe dans le fracas de ses moteurs. Depuis le zinc, on doit observer Narsuaq et ses chiens.

Et puis l'hélico reprend de l'altitude et s'éloigne. Lorsque le silence est complètement revenu, je nous dépêtre et aide Marika à s'extraire.

— Vous pensez que c'est après nous qu'il en avait ? demande ma sublime.

— Après nous ou après Jakobsen. Ils continuent leur route et donc, fatalement, apercevront bientôt l'attelage de notre homme.

— Alors tout sera perdu ?

— Je le crains bien. Demandez à Narsuaq si sa grande fille suit le même itinéraire que nous.

— Je vois mal qu'elle puisse en emprunter un autre, objecte Marika. Pour monter vers le nord, il faut longer l'inlandsis.

— J'aimerais tout de même savoir si notre guide a relevé les traces du précédent traîneau.

Elle répercute ma question au bonhomme, lequel opine. Et puis c'est lui qui interroge à son tour. Marika paraît embarrassée.

— Que veut-il savoir ?

— Pourquoi nous nous sommes cachés en entendant survenir l'hélicoptère.

— Et que lui avez-vous répondu ?

— Que j'ai fui mon époux et qu'il me recherche.

— Bravo ! C'est le genre d'explication qui produit toujours son effet, sur les Esquimaux groenlandais comme sur les notaires du Périgord, encore que je me demande si un monsieur qui saute sa fille en présence de sa femme est perméable aux questions de jalousie...

— On continue la route ? demande Marika.

— On continue. Il faut que le bonhomme asticote ses cadors au maximum.

Par moments, l'horizon s'élargit et on découvre un immense panorama somptueux, avec des fjords où la mer est d'un gris bleuté coupé d'îlots de nacre : les icebergs en dérive, déjà. Des bateaux équipés pour la glace suivent une route mystérieuse vers l'infini. Sur la droite, la masse colossale de l'inlandsis, écrasante et hostile. Devant nous, du blanc légèrement grisé. Les chiens regaillardis par la nuit de repos filochent sans trop rechigner. Le bruit désagréable des patins sur la glace nous fait grincer des dents. Moi, cet hélico ne me dit rien qui vaille. Faut-il que les ennemis de Jakobsen tiennent à me neutraliser pour avoir lancé une telle armada à mes chausses ! L'intervention de l'appareil n'indiquerait-elle pas qu'ils sont au courant de ce qui s'est passé à l'hôtel, hier ?

A moins que l'on ait découvert les corps des deux tueurs et que ce soit la police qui me pourchasse ? Oui, tiens, je n'avais pas encore envisagé cette hypoténuse, comme dit le Gravos. Mais bon Dieu, c'est bien sûr ! Les deux tueurs ne s'étaient pas introduits dans ma chambre sans rien demander à personne : on la leur avait indiquée ! Des lors, après mon départ, le gargotier s'est inquiété. Il sera resté des traces de mon rodéo.

Donc, si c'est la police qui me course, Jakobsen n'a rien à redouter.

Tu te rends compte de l'altruisme du mec ? Au lieu de penser à la vilaine béchamel dans laquelle je mijote, mon élan du cœur va au fugitif.

— Yoplait ! Yoplait ! crie Narsuaq de sa voix mécanique.

— Demandez-lui s'il est envisageable que nous rattrapions le traîneau de sa fille ! fais-je soudain à Marika.

Le dabe lui répond que c'est très probable car Hankilletonbraq, son aînée, n'a pas sur les chiens la même autorité que lui, Narsuaq. Avec elle, les haltes sont fréquentes et prolongées, car une fois débandés, les attelages de clebs sont difficiles à remettre en ligne et à faire démarrer.

Satisfait, je regarde devant moi avec les jumelles que j'ai emplettées dans l'espoir que l'horizon me livrera bientôt l'ami Nicolaj.

Mais plusieurs jours s'écoulent, Raoul, et il ne se passe plus rien que ce cheminement éperdu sur la glace. Ça tourne torpeur, ce voyage : les bivouacs au cours desquels nous devons nous garer des fauves qui nous tractent, ces nuits cauchemardesques que nous passons blottis dans un même sac de couchage, sans nous aimer, ni même nous embrasser, en camarades — ô ironie ! — les thés brûlants de Narsuaq, ses bouffements écœurants, et la glisse sempiternelle dans le froid, la brume, les chutes de neige. Temps à autre, nous apercevons quelques maisons au loin, mais nous les négligeons, qu'à quoi bon perdre du temps ? On sombre, Marika et moi, dans un état de mélancolie profonde. Seule, me tient cette perspective de l'homme qui fuit devant nous. Le désir de le rejoindre s'amenuise progressivement.

Je finis par ressentir un certain détachement à son endroit. Pour tout te dire, il commence à me faire chier, ce mec, avec ses misères ! Con de vicomte ! Veau de vicomte qui est venu me le flanquer dans l'existence, un vilain matin, alors que je ne demandais rien à personne. Et que me voilà, pauvre tête de nœud, à arpenter un enfer de glace pour rattraper Jakobsen et lui dire quoi, une fois que je l'aurai retrouvé ? Que des mecs veulent le buter ? Ça, espère, il le sait ! Lui proposer mes services ? « Marche derrière moi, petit, et laisse-moi faire ! » Jusque-là, il s'est arraché tout seul du bourbier, le Danois. Il m'a pas attendu pour planquer sa carcasse.

Je claque mon pèze et ma santé, je saccage l'existence d'une exquise petite frangine, je me languis de m'man, tout ça... Ô Seigneur ! est-ce un dessein de Toi ? Ou bien hausses-Tu les épaules, là-haut, en voyant Ta pauvre créature sanantoniaise déconner comme encore jamais ?

Le j'sais-plus-combientième jour, nous atteignons enfin Upernavik.

Je te le répète, les villes du Groenland, c'est juste des bourgades. T'as des maisons de bois peint, un ou deux bâtiments modernes, géométriques, une église, une école qui fait musée et salle des fêtes, quelques boutiques où on te vend du poisson et des crustacés, un supermarket, c'est tout. N'empêche qu'après ces jours à mater les queues panachées de nos clébards, on est bien aise de trouver un semblant de cité.

Çà et là, tu aperçois des poteaux supportant une banderole où c'est écrit des trucs machins en j'sais pas quoi. Marika me dit qu'elles annoncent le tournoi de triathlon qui va se dérouler demain. Celui auquel notre guide va participer.

— De quelles épreuves s'agit-il ? demandé-je.

— Vous le verrez bien, me répond-elle, sans humeur, mais en femme bien décidée à n'en pas dire davantage. Moi, je n'irai pas car le tournoi est interdit aux femmes. On est très macho dans ces contrées nordiques.

Impossible de trouver la moindre chambre dans les deux hôtels d'Upernavik, les festivités les ayant remplis de la cave au grenier. Nasuaq dresse une fois de plus la tente sur une vaste esplanade où sont déjà rassemblés beaucoup de gens venus du sud. Des enclos grillagés ont été aménagés à l'usage des chiens, et ça fait un putain de vacarme, car ceux-ci aboient ou bien hurlent comme des perdus, s'invectivant d'un bout à l'autre du campement.

— Et moi qui rêvais d'un vrai lit ! fait Marika. J'ai les reins en marmelade, pas vous ?

— Vous parlez ! Attendez-moi ici, je ne serai pas long.

Tu connais la détermination de l'Antonio ? Me voilà parti à faire du porte-à-porte, toquant aux lourdes et expliquant mon problo par gestes puisque je ne parle pas la moindre apostrophe de danois.

Ma mimique est simple. De mes deux mains jointes je constitue un oreiller imaginaire sur lequel je pose ma tête en fermant les yeux et en imitant même un ronflement, moi qui, Dieu merci, ne ronfle jamais ! Ensuite, je tire de l'argent de mes vagues.

A la troisième tentative, c'est bonnard. Un couple de gens âgés, tavelés de taches brunes, avec des cils blonds et des yeux décolorés, opine et me montre une espèce de pièce grande comme ton attaché-case où se trouve un sommier recouvert de fourrures. Le rêve ! Je dis banco, leur attrique de la fraîche et cours chercher Marika.

Cette nuit, veux-tu que je te dise ? Tu le veux vraiment ? Cette nuit, mon ami, mon frère, est plus belle que tous les jours que j'ai précédemment vécus. Ça restera *The* nuit. Une chose aussi grandiose, l'esprit, but en blanc, peut pas l'imaginer. Me faudrait de la rescousse pour bien tout te narrer : mes potes Boudard et Cavanna, qu'on se partage le boulot. On se relaierait.

Dix heures de baise d'affilée, tu permets, Gervais ? Tout décrire, sans escale, c'est surhumain. Te démarrer depuis la première pression de main jusqu'à l'instant de l'anéantissement complet, là qu'on se choit pêle-mêle, qu'impossible de déterminer qui est dessous, ni qui dessus ! Putain, ce travail ! « La Contrition humaine » de Balzac, les « Bougon-Maqueue » de Zola ? Juste du placet mutin ; du matériel pour cruciverbistes.

L'intense, c'est lorsque ayant fait notre toilette de noyé dans l'unique salle de bains de la maisonnette (l'un après l'autre, naturliche), on se récupère dans la petite pièce où y a pas possibilité de marcher vu l'exiguïté du local.

Juste Marika qui s'agenouille, je me rappellerai toujours. En biais, sur la couche, comme pour une prière. Des fourrures entassées monte une âcre odeur animale qui écœure un peu mais porte aux sens. Longuement, je contemple cette superbe créature dans une chemise de nuit que je me demande où elle est allée la pêcher ! Sa peau ambrée, ses cheveux d'or pâle, son regard d'émeraude ! Pompier, le descriptif ? Le moyen d'écrire autrement puisqu'elle est telle, ma déesse scandinave ?

Ses seins ont un volume fabuleux. Ils sont généreux sans être *too much,* fermes mais frémissants. Elle a eu un léger mouvement pivotant pour s'asseoir en biais, d'une seule fesse. Une jambe repliée, l'autre allongée. Elle me regarde, m'attend, m'espère.

Alors moi, que juste mon slip à ôter, dis, c'est pas une affaire d'Etat ! La seule chose qui freine un peu mon entier décarpillage, c'est ma vigueur extravagante. Un chibre de cette férocité, à part un mouflon en rut, je vois pas où on peut trouver mieux. C'en est inhumain de tension. Je suis devenu secondaire à ma bite, tu comprends? Y a elle avec moi autour, et pas moi avec elle plantée là où elle est. Nuance!

Marika regarde l'objet, sans pudeur ni concupiscence. Pas béate d'admiration, non plus que béante de convoitise! Juste qu'elle est bellement soumise à cette trique de l'âge de pierre paul jacques.

Moment de fascination, d'intensité extra-terrestre. Nos corps se détachent des sordides réalités. Nous flottons déjà dans des félicités auxquelles nous ne croyions pas avant de vivre cet instant.

Là-dessus, la porte s'ouvre et la mère Duvioque passe la tête pour poser une question. Elle voit mon bâton de maréchal et s'étrangle. Sa phrase n'est qu'un gargouillis auquel Marika répond brièvement et négativement.

Ce que mémère est venue demander, je le saurai jamais. La porte est refermée. Je m'agenouille auprès de la Sublime. Mes lèvres s'approchent de son sein gauche. Pardon! Je ne sais plus où j'ai la tête : je voulais dire de son sein droit.

Du bout de la langue, je le salue. Et c'est seulement après que j'en fais autant au sein gauche, tu comprends? Pas qu'il y ait de jaloux. Si tu te mets à semer la zizanie dans un soutien-gorge, ça n'en finit plus.

Elle se cambre. Mais tout ça, n'importe quel écrivaillon de mes fesses te le narre naïvement, croyant te faire érecter! Ils ont douze mots pour traiter « le passage » érotique de leur polar, les aminches. Plus quatre ou cinq expressions dans le genre de « les mamelons de ses seins devinrent turgescents », « elle se tétanisa, au comble du plaisir », « un flot tiède l'inonda », etc. De quoi loufer de rigolade! Depuis *Gamiani* (qui me fait marrer comme un type affligé d'un dos gibbeux) ça s'est pas renouvelé, la salacerie littéraire. Y a juste ma pomme qu'a apporté un foutre neuf dans tout ça en tirant ces descriptions vers l'hénorme. Alors compte pas me faire changer, Roger.

Moi, la Marika bien-aimée, sache que je l'embarque

pour une croisière de rêve. Je peux pas te préciser ce que je lui pratique puisque je lui fais TOUT! TOUT! On traverse un déferlement terrible. La maison tremble sur ses fondations. On entend choir des casseroles dans la cuisine de la vieille. Le dabe, lui, il s'arc-boute contre leur vaisselier pour éviter la catastrophe! Ils clament comme des putois, nos loueurs de grabat. Appellent le voisinage, qu'on les aide à maintenir leur cahute d'équerre.

Mais nous, ça peut plus s'arrêter, Marika et moi. C'est comme une locomotive dont le mécanicien aurait bloqué le levier de vitesse avant de sauter sur le ballast. On crie plus fort encore que le vieux couple. Je me dépense à une allure de dessin animé (qui n'a donc pas d'âme) et je suis de partout à la fois. Four et moulin. Avec une rage désespérée qui me porte à l'obstruer de tous les côtés, Marika. Que je peux plus lui laisser le moindre orifice disponible. Je la veux étanche en plein. Ma zézette devient bonde et étoupe. Poix! On déborde du lit, de la pièce, presque de la maison. Ouragan, nous sommes!

Tumulte grondant! Barrages rompus! Malpasset! Trombes déferlantes! Raz de marée de la pointe du Raz des enfants de Marie! Métal hurlant, tiens donc, aussi, j'allais pas y penser! Kamikazes! On se roule dans la pièce comme je l'embroque levrette contre l'évier, l'acalifourchonne sur la commode de pin clair, de pin peint, de perlimpinpin! La bouffe toute debout sur la table! La manègemoicétois sur l'escabelle. La poursuis dans le garde-manger, là que sèchent des morues. La trombone à coulisse, composte, pilonne, monte en neige! Lui mords tout, partout, les lobes, le clito, le fessier, les doigts de pieds, les paupières.

Le couple hébergeur a cessé de hurler. Il pare au plus pressé : relève les sièges, soutient les meubles, ramasse les tessons. Le premier accroc coûte deux cents francs! Le poste de télé manque valdinguer de ma toupie chinoise. Au moment que je lui fais la clape géante, elle perchée sur mes épaules, minouchet bouche à bouche avec moi, dans l'élan du juchage, elle décroche la suspension de cuivre. Plaf ! La luce est naze. On poursuit dans les pénombres, à la lueur des pièces contiguës. Rien *never* ne saura nous stopper.

Les gens du voisinage, Esquimaux pour la plupart, restent debout sur le seuil, silencieux et terrifiés. N'arrivent pas à tout piger, le pourquoi des comment de certaines de nos connexions ! Comme si tu te servais d'un computer devant les gens des cavernes (pourquoi qu'on dit toujours « l'homme des cavernes » ? Y avait des femmes aussi, puisque nous sommes là ! Ils aimeraient qu'on leur repasse le film au ralenti. Qu'on fasse des gros plans, des inserts, des sous-titres.

Au bout de deux heures, comme il gèle à cœur fendre, les mamans préparent du thé et vont chercher des couvertures. Marika et moi, nous ne marquons pas le moindre temps d'arrêt. On est ruisselants, gluants, autocollants. Mais on poursuit en folie. Tiens : contre le mur, là, où s'étale le portrait de la reine Couine de Danemark et du prince Mon Chibre. Vlan ! Vlan ! Vlan ! Oh ! que c'est bon, bien extrêmement superbe en plein ! De côté, maintenant, lève la jambe, Ninette ! Là, à moi l'entrée des gladiateurs ! On reva dans la souillarde aux morues, histoire de les dessaler. Là, joue-m'en un petit air à la clarinette, bien choucard ! Sublime ! A moi, fais l'éventail, chérie ! Oui, t'as tout compris...

Y a, par moments, des ralentis techniques, mais qui n'altèrent pas nos performances ; au contraire : ils les transcendent. On a des titubances, des ratages dus à la frénésie. Voilà qu'on retourne dans notre cagibi, sur nos fourrures de départ. On rassasiera jamais. On ira ainsi jusqu'à la déflagration finale. Jusqu'à tant que mes burnes explosent, que le frifri à Marika disloque ! Jusqu'à ce qu'on ne soit plus rien que des lambeaux, des traces. Un souvenir de nous !

A la huitième heure, on s'allonge à plat ventre, côte à côte sur la table. Sonnés, électrocutés par tant d'indicibles efforts. Les assistants croient que ça y est, qu'on a

fini. Ils restent immobiles néanmoins, par rase pet
(pardon, je veux dire par respect) pour nos prouesses
inouïses. Ils applaudissent pas, vu que l'applaudisse-
ment n'est pas encore arrivé au Groenland. Il
commence à gagner le Labrador, le sud de la Laponie
finlandaise, mais au Groenland on l'ignore complètement.

Le plus vieux voisin, un Esquimau tout blanc (il est à
la noix de coco) va serrer la main de notre hôte, comme
quoi, merci beaucoup d'un tel spectacle. Demain, il lui
offrira deux peaux de phoque et un kilo de crevettes,
manière de se reconnaître.

Mais nous, dis, on a repris souffle. Pinambois revient
pour le dernier épisode ; le grand final hélicoïdal. Tu
verrais Lazare se redresser de ses cendres, Alexandre !
Violet, le duc ! Massacreur dans son genre. On se livre
l'ultime joute ! On interprète le dernier acte.

Comprenant que c'est pas fini, les gens s'écartent,
comme à une bagarre, lorsque les tagonistes se mettent
à cogner mou, qu'ils sont soûlés de coups, hagards, au
bord de l'anéantissement. Ce moment où ils ont perdu
tous les deux, malgré que l'un deux s'écroulera après
l'autre.

Marika, je lui pratique une combinaison savante
d'homme-orchestre de la brosse. Si t'as pas deux
bitounes et quatre mains, tu peux pas l'exécuter, ou
alors faut être comme moi, survolté. Elle touche plus
terre. Je la soulève et la comble en état de lévitation.
Elle ne sait plus qui elle est, ni parler danois, ni crier
« maman », non plus que le jour qu'on est (d'autant
qu'après ce voyage dans les glaces je n'en sais trop rien
non plus). Ses dernières sensations, ses ultimes balbu-
tiements, ses plaintes venues d'ailleurs sont destinés à
l'orgasme final. La mort douce, qu'on l'appelle. Et
comme c'est vrai ! Elle est plaquée dos à moi, ses
jambes lancées en arrière, ses seins pointés vers le pôle
comme deux boussoles. Je lui accorde les plus somptueux soubresauts de mâle qu'un homme ait jamais
réussis. De la main gauche, je cherche Europun sur son

nichon gauche, tandis que de la droite j'assure son adhérence.

Un grand silence s'est fait autour de nous. Les Esquimaux retiennent leur souffle, pas que ça crée une buée susceptible de leur brouiller la vue. Je poursuis mon lent cheminement. Bientôt, le dernier obstacle tombera et ce sera l'éblouissante rencontre des deux équipes ayant foré le tunnel.

Voilà ! Encore une petite heure d'efforts patients et cela y sera !

Je ne te fais plus languir, Casimir : cela y est ! Un même cri poussé par deux poitrines ! Cri bicéphale, oserais-je écrire si je n'étais un puriste. Cri volcanique de lave en fusion, si je rose me repermettre.

Tout devient pourpre, puis doré, puis noir. Nous tombons en syncope en même temps !

Oui, mes drôles, je l'écris sans fanfaronnade, en pesant bien mes mots : ceci a été la nuit de ma vie !

Ensuite, ils ont été très bien, les autochtones. Ils nous ont bassinés à l'eau chaude, fait avaler de l'aqua-vit. Nous ont portés sur notre couche initiale, couchés, couverts, bordés. Notre logeur a écrit la date sur le manteau de la cheminée. Les dames de l'assistance ont promené leur doigts dans les traces de notre étreinte, vu que ça porte bonheur, là-bas. L'une d'elles a fait le serment de ne jamais plus se servir de son index après qu'il eut été sanctifié par un tel contact.

Et nous deux, Marika et moi, on a plus que dormi : on a mouru ensemble. A ce point de neutralisation, c'était plus la vie, mais des limbes inhabités. On gisait, point c'est tout ! Après, oui, sans doute, au bout de plusieurs heures, cela s'est transformé en sommeil. J'ai senti la main de Marika qui se posait sur ma poitrine. Elle a chuchoté :

— Je t'aime à en mourir.

Vache ! que c'était beau. J'aurais voulu lui répondre que moi aussi, mais j'étais pis que du coton trempé dans de l'eau !

Y a eu encore quelques heures réparatrices. Et puis notre brave Narsuaq est passé me chercher. Je croyais que c'était pour le tournoi, et je lui ai adressé un bras d'honneur afin de lui exprimer, avec l'assurance de ma considération distinguée, que je voulais pas y aller, que son tournoi, il pouvait se le carrer entre les miches, pas qu'il s'enrhume. Mais il a insisté. Il disait des trucs avec force, tant qu'à la longue il a fini par arracher ma Merveilleuse au sommeil.

Elle bat des cils, la divine blonde. Une aurore boréale à elle seule !

Tout de suite, je vois que le loueur de traîneux lui bonnit du sensationnel car elle se dresse sur le lit sans songer à masquer ses seins prodigieux.

Rien n'est plus agaçant que d'entendre deux personnes s'entretenir de choses qui te concernent dans une langue qui ne te concerne pas. Tu te sens con comme un prince consort (et qu'on rentre pas !).

Je les laisse vider la question. Pas besoin d'interroger mon amour de Marika, car elle a hâte de m'affranchir.

— Dans la nuit, la fille de Narsuaq est arrivée épuisée au campement d'Upernavik. Elle a reconnu les chiens de son père et a retrouvé sa tente. Jakobsen l'a forcée de descendre de l'attelage. Il lui a donné deux mille dollars à titre de dédommagement et il a poursuivi sa route tout seul. Elle a parcouru plus de quarante kilomètres à pied avant d'arriver ici. Il lui avait laissé de la nourriture et des fourrures.

— Qu'est-ce qui a motivé cette décision ?

Marika interroge le père éploré.

— Il paraît, me dit-elle, que notre homme ne voulait plus suivre le littoral, mais couper à travers l'inlandsis. La fille a répondu qu'il n'en était pas question, que c'était de la folie. Jakobsen a déclaré qu'il le ferait seul. Il semblerait qu'il sache à peu près convenablement driver l'attelage. Comme elle s'interposait, il s'est montré menaçant. Peu avant la discussion, ils avaient fait le point et il savait qu'ils étaient proches d'Uperna-

vik ; alors il a décidé de lui remettre de l'argent et des
vivres et de la laisser venir ici à pied.

— On dirait que l'agneau traqué se transforme en
loup ! remarqué-je. Demandez au père Narsuaq si
Jakobsen a une chance de s'en sortir en passant par
l'inlandsis.

Traduction :

Tout homme a toujours une chance de se sortir des
pires situations, mais il pense que pour un type seul et
inexpérimenté, la chose est peu probable.

— Est-il d'accord pour que nous continuions de
courser ce zigoto sur son nouvel itinéraire ?

Réponse :

C'est hors de question. Déjà, à partir d'Upernavik,
l'expédition est périlleuse le long de la côte, à plus forte
raison au milieu des glaces et en altitude ! La calotte
glaciaire n'est pas l'esplanade des Invalides ! Il y a des
précipices, des grottes, des pics, des étendues chaoti-
ques.

Un vaste accablement me chope. Tout cela pour
caler à mi-parcours. Ma navrance est heureusement
éclairée par l'amour fabuleux que j'ai trouvé ici.

— Il nous reste un ultime espoir, déclare Marika :
l'hélicoptère. Jakobsen ne peut être très loin. Si je
parviens à en dénicher un, nous avons une chance de le
récupérer. Allez au tournoi avec Narsuaq, pendant ce
temps j'interrogerai sa fille et me mettrai en quête d'un
appareil, c'est le seul moyen de le retrouver.

Le tournoi de triathlon groenlandais n'a rien de
commun avec le triathlon olympique, lequel comporte
trois disciplines qui sont généralement la course, le saut
et le lancer. Dans ce pays de gel et de nuit, les
distractions sont rarissimes. L'alcool lui-même est
réglementé, comme si vraiment on tenait à ce que les
habitants crèvent d'ennui et d'angoisse. La compétition
qui va se dérouler a lieu dans un vaste gymnase couvert
et chauffé dans lequel on a aménagé des gradins. Au
centre de la piste on a construit un praticable au milieu

duquel se dresse un micro. Quatre grands baffles disposés sur chaque face sont destinés à diffuser équitablement le son.

De part et d'autre du praticable, se trouvent quatre tables pour les juges. Il en est trois par table, soit douze au total.

Dans une enceinte de bois les concurrents sont parqués en attendant leur tour. Chacun porte un numéro sur une plaque fixée à sa poitrine.

Narsuaq me laisse pour aller concourir, et moi je me fraie une place dans cette foule où descendants de Vikings et Esquimaux font bon ménage. L'excitation générale est si vive qu'onc ne me prête attention.

Des projecteurs s'éclairent pour prêter assistance au jour faiblard. Des musiciens chamarrés se pointent et prennent place dans la tribune d'honneur. Ils commencent par l'hymne national et tout le monde se lève et met une main sur son cœur.

Après cette vibrante interprétation du *Tuhladanlq*, le présentateur apparaît. Il est en costume également national. Il salue l'assistance et débite un interminable blablabla. Les gens rient pour se réchauffer les lèvres.

Et voilà que le meneur de jeûne appelle le candidat numéro 1.

Quittant le vivier des futurs champions, un gros zig roux, aux jambes arquées et à la barbe profuse (j'aime bien « barbe profuse » ; j'ai lu ça un jour dans un vrai livre et depuis je m'en sers à outrance pour faire croire que je suis cultivé) s'avance vers l'estrade, qu'il escalade en faisant grincer les marches. Il doit être connu de l'assistance car il est ovationné. Un monsieur à lunettes, l'air clergyman repenti, assis à côté de moi, me virgule quelque chose.

— Parlez-vous, français, anglais, ou allemand ? lui demandé-je alternativement dans ces trois langues.

Il me répond qu'il cause anglais. Il est d'ailleurs professeur de ce patois dégénéré au collège d'Upernavik. Dans la foulée, il m'explique que le gros rouquin barbu est le champion sortant de l'an passé. C'est lui qui a remporté le tournoi dont le premier prix consiste en une médaille, naturellement, mais aussi en une tonne de morue salée.

— Au fait, lui demandé-je, quelles sont les trois disciplines de ce triathlon ?

— Eh quoi ! récrie le binoclard, vous ne le savez pas ?

— Que nenni.

Il me révèle alors la singularité de cette compétition.

— On commence par un concours de vents ; ensuite on passe à un concours de borborygmes et l'on termine par un concours d'éjaculation. Cette dernière discipline est notée avec coefficient 3, alors que les deux premières le sont avec coefficient 1.

— Très intéressant, conviens-je. Je suis certain qu'un tel tournoi remporterait un gros succès dans nos contrées tempérées.

Pour l'heure, Ted le Rouge (c'est le nom d'artiste du champion en lice), vient de dégrafer son futal de peau, puis son calcif long tricoté par sa femme avec de la laine de pingouin.

Il se met dos au micro et, avec des gestes maladroits, règle la hauteur de ce dernier de manière à ce qu'il se trouve au niveau de son orifice sud, histoire d'obtenir un max de décibels.

Le prof d'anglais, homme disert, bienveillant avec l'étranger que je suis, me révèle que chaque concurrent dispose de 90 secondes pour exécuter sa prestation. Comme dans les rencontres olympiques, il a droit à trois essais. A l'issue de chacun, chaque juge annoncera sa note à l'aide d'un panneau de bois pareil à une raquette de ping-pong. La cotation se fait de zéro à dix.

Maintenant, Ted le Rouge est à pied d'œuvre. Des deux mains, il se donne de grandes tapes sur le ventre pour faciliter le transit gazeux dans l'intestin et pouvoir à volonté libérer ses flatulences.

Quelques pas de danse sur place, avec ses nippes en tire-bouchon sur les pinceaux. Le gong résonne. Un gros chronomètre lumineux se déclenche. Ted le Rouge se comprime fortement la ceinture abdominale. Il se penche lentement en avant. Sa bouille devient apoplectique tant est intense l'effort qu'il produit. Le public retient sa respiration, comme cette nuit, dans la maison de mes exploits à moi. Et soudain, un coup de tonnerre roule dans les baffles, sourd, profond, croissant. Il s'achève en explosion. Que tu dirais qu'on fait sauter le rocher de Gibraltar à la dynamite.

Le silence qui succède, ressemble au concerto d'Albidoni. Puis l'assistance pousse une clameur. Elle fait « Vrouaaahhh ! ».

— Il va encore gagner cette année, pronostique le binoclard.

Effectivement, les notes qui se dressent, l'une après l'autre, laissent peu d'espoir aux suivants : cinq juges lui ont accordé 9, sept lui ont carrément mis 10.

— Vrouaaaaahhhh ! répète l'assistance.

Mon voisin murmure :

— Il est un peu moins performant en borborygmes, mais à l'éjaculation, vous verrez, il est imbattable. L'an passé il a pulvérisé le record avec un jet de six mètres dix, alors que le médaillé d'argent est resté au-dessous des cinq mètres !

Effectivement, Ted le Rouge a toutes les chances de conserver son titre, les vents de ses suivants étant loin d'avoir l'intensité du sien. Manque de fougue, départ feutré, parfois mal préparé, qui se termine par des dérapages incontrôlés, lesquels, tu le conçois bien, sont éliminatoires. Les notes pleuvant après la prestation de Ted le Rouge oscillent entre 5 et 7. Le barbu est souverain. Tu le verrais rouler des mécaniques dans l'enclos des gladiateurs, tu croirais visionner un western de dernière série, quand le casseur fait du zef au saloon après avoir triomphé dans une partie de flingues.

Tout à fait à la fin de la série « vents » le présentateur fait une annonce. Mon nouvel ami m'explique que ce sont les étrangers qui vont participer au concours, à présent. Car on accepte dans ce tournoi des postulants venus d'ailleurs. Seule condition : ils doivent mettre une cagoule pendant l'épreuve pour que leur visage n'influe pas sur la décision du jury.

Est présenté alors un homme de corpulence moyenne dont la prestation ridicule soulève un déferlement de huées. Vexé, le type se reculotte et abandonne le tournoi. Le dernier concurrent est du genre poussah. J'augure bien de sa performance, ayant remarqué que les obèses sont beaucoup plus doués pour les rots et les pets que les hommes de moindre gabarit.

Je marque ici une pause pour dire à mes lecteurs guindés (en admettant qu'il s'en risquât encore dans mes pages), qu'ils peuvent sauter ce passage un tanti-soit scatologique, à condition toutefois de n'en pas rater la toute fin, laquelle réserve un coup de théâtre.

L'étranger est loqué de façon un tantisoit ahurissante puisqu'il porte un pantalon de cheval, inusité en ces régions où le sport équestre est peu pratiqué, et une sorte de robe de bure épaisse qui lui tombe jusqu'aux genoux. Une cagoule noire complète sa mise saugre-nue. Il commence par soulever le survêtement, puis il dégoupille son futal. Contrairement aux précédents concurrents, il ne se martèle pas les entrailles, ni ne se penche en avant. Simplement, il lève la jambe droite en un mouvement de lanceur de poids. Comme un lanceur de poids, il exerce quelques flexions de sa jambe porteuse, puis il émet un cri de samouraï, ramène ses coudes contre ses hanches et débonde.

Là, le public n'en croit pas ses oreilles. Sur le moment, il pense que c'est l'inlandsis qui déconne et vient de propulser un iceberg d'un milliard de tonnes sur le patelin. Tout tremble. Les appareils amplifica-teurs lancent une plainte électrique en contrepoint. Les murs du gymnase tremblent. Des mecs aux tympans fragiles s'obstruent les pavillons. D'autres se grattouil-lent le conduit.

Quand ces gens ont compris que ce monstrueux bruit a jailli du pétard encore en batterie, c'est le délire. Malgré ce vieux chauvinisme groenlandais dont je m'entretenais y a pas quinze jours avec Mgr le duc de

Vendôme, la société présente hurle et trépigne d'enthousiasme. Autant en apporte le vent ! C'est la liesse ! Ils acclament le phénoménal étranger venu leur apporter la bonne parole ! Là-bas, Ted le Rouge proteste que c'est pas légal. Il réclame la disqualification de l'intrus. Il interjette d'avance la notation du jury. Mais celui-ci ne s'en laisse pas conter et la notation est impitoyable : Il a l'unamité. 11 sur 10 ! pour la première fois depuis que le tournoi a été créé !

C'est ça, le triomphe.

Une fois la folie collective endiguée, on passe à la seconde discipline, celle du borborygme. Mais j'ai omis de te signaler la piteuse prestation, section pets, de notre pauvre Narsuaq. Est-ce un manque de préparation dû à ce voyage où nous aurons manqué de féculents ? Est-ce la fatigue ? L'émotion d'avoir retrouvé sa fille brisée de fatigue et dépouillée de l'attelage qu'il lui avait confié ? Toujours est-il qu'il n'a émis qu'un triste chapelet ridicule de mangeur de cassoulet, pour la plus grande joie de l'assistance.

Vient alors la deuxième partie du programme, à savoir, je le rappelle, la section rots.

Mon voisin de tribune connaît bien la question en déclarant que c'est là le point faible de Ted le Rouge. Nonobstant une belle sonorité avec des échos internes profonds et des vibratos dus à la force d'expression, le barbu ne se montre pas pleinement convaincant et écope d'une moyenne de 8 ; un autre candidat, esquimau celui-là, qui s'est gavé de boissons gazeuses, le bat sans difficulté. Arrive alors l'étranger. Il soulève le bas de sa cagoule pour libérer sa bouche, ce qui est naturel car cette étoffe feutrée constituerait un gros handicap. Il se livre à des aspirations très brèves, non expectorées, gonfle le cou et pousse alors un rugissement léonin. Le public qui s'attendait à mieux de la part d'un surdoué du vent, est déçu, le jury de même, qui parcimonise avec une moyenne de 7. Les choses s'arrangent donc un peu pour le champion en titre. Du coup, Ted le Rouge reprend espoir. Le tournoi reste ouvert. Tout se jouera à l'éjaculation.

Un entracte libère la tension des spectateurs. Ceux-ci se détendent en allant au bar manger des beignets de morue à la graisse de phoque et boire du jus de crevettes.

La sonnerie de la reprise ramène la tension et l'attention. Pendant la pause, on a préparé l'estrade pour la troisième phase ; un cercle a été tracé sur le parquet à l'une des extrémités du praticable, tandis que tout le reste de la surface a été saupoudré de farine à l'aide d'un tamis. Au centre du cercle, un clou est planté dans lequel on engage la boucle d'un décamètre à enrouleur.

Pour cette ultime discipline, les concurrents sont appelés dans l'ordre inverse de leur classement provisoire. Le provisoirement dernier est un grand diable au visage incertain, avec un nez en bec de cacatoès et des yeux comme deux cerises servant de boucles d'oreilles aux petites filles. Il semble quelque peu intimidé de devoir se sortir le panais devant plusieurs centaines de personnes et se l'astiquer jusqu'à l'heureuse conclusion qui pourrait, si elle est vraiment impétueuse, lui faire regagner des places au classement.

Le speaker réclame le silence. Les lumières baissent pour faciliter la concentration de l'athlète ; que juste le faisceau d'un projo balaie sa braguette.

L'homme dégage une bitoune longue et triste comme un cou d'oie plumé. Il entreprend alors de conditionner ce trophée inappétissant. Mais il est intimidé, nerveux, et dans sa frénésie se lâche Popaul à tout bout de champ.

— Chaque candidat dispose de cinq minutes, me chuchote le binoclard. Tel que celui-ci est parti, ça m'étonnerait qu'il parvienne à ses fins dans les délais.

En effet, le malheureux à beau s'escrimer le chipolata, son pénis reste tête basse. Comprenant qu'il n'arrivera à rien, il préfère abandonner, déclenchant les sifflets et les lazzi du public frustré.

Son suivant immédiat a dû se conditionner pendant la période d'échauffement car c'est déjà une belle et valeureuse trique qu'il dégage de ses hardes et se met à fourbir. Pour s'exhorter, il crie des choses courtes, gutturales.

— Que dit-il ? m'enquiers-je auprès de mon traducteur d'occasion.

— Des saloperies, répond ce dernier. Il s'adresse à une femme qu'il doit, je suppose, honorer de ses faveurs. Il puise dans l'imaginaire, comprenez-vous ?

Parbleu ! Comme les braves époux qui pensent fort à Madonna en trombonant leurs mémères paisibles.

La recette est bonne puisque, très rapidement, le concurrent numéro deux éternue à la lune.

Le juge arbitre vient mesurer la longueur du lancer franc. Il annonce deux mètres dix. Les spectateurs jugent la performance médiocre. Le concurrent aussi, qui se rebraguette mornement.

Ceux qui se présentent alors réussissent des jets plus conséquents. L'un d'eux provoque un début d'enthousiasme en atteignant quatre mètres zéro trois. Notre copain Narsuaq fait bonne figure avec quatre mètres douze.

Après chaque prestation, les techniciens répandent une nouvelle couche de farine au tamis pour rendre la piste immaculée. Un léger incident a lieu lorsqu'un des athlètes en lice est disqualifié après un jet de cinq mètres trente-cinq, pour avoir mis un pied hors du cercle. Comme il s'agit d'un brave jeune homme sympathique, des voix s'élèvent pour réclamer qu'on décompte simplement les quelques centimètres de pied hors-jeu, mais le jury reste inflexible, l'observance du règlement étant indispensable dans un tournoi.

Vient enfin le tour de Ted le Rouge. Il en impose par sa détermination. On devine le gars qui ne laisse rien au hasard. Lui ne se contente pas de se dégager le Nestor : il enlève carrément son futiau afin de n'être pas gêné le moins du monde. Puis il se verse quelques gouttes d'embrocation dans la main droite et exécute des mouvements de doigts pour virtuose du piano.

Il est prêt. Le gong retentit.

Son chibre n'est pas très élégant, Ted. C'est de la chopine rustique, un peu tordue, forte, nerveuse, avec comme des protubérances et une tête en bec de canard. Lui, pas de chichi, de simagrées. Il se malaxe la membrane à grandes secouées de lanceur de dés. C'est un type très maître de soi. Un méthodique. Pieux, aussi, puisque, tel le toréro avant le combat, il s'est signé. Il a les dents serrées et l'œil mi-clos. Il s'astique à l'énergie, le barbu ! Farouche, perdu dans sa sombre détermination de hardi gagneur. De la main gauche, il pétrit ses aumônières pour les solliciter. Il a la technique. Son corps massif se cambre progressivement. Son mouvement s'accélère soudain. Et le voilà qui pousse un grand cri triomphant. Un cri terrible qui fait sursauter l'assistance. Quelque chose s'est séparé de sa personne, qui valdingue loin de lui. L'arbitre n'a pu contenir une exclamation admirative. Il rejoint Ted le Rouge, saisit le décamètre et, à pas prudents, va mesurer.

Un grand silence s'est fait.

— J'ai le sentiment que Ted a battu son propre record, me chuchote le prof.

Là-bas, sur l'estrade, très calme, le rouquin barbu se chiftire les pinceaux et la rampe de lancement avec une serviette-éponge.

L'arbitre annonce un chiffre qui m'est immédiatement traduit :

— Huit mètres seize !

The délire, Elvire !

La salle est debout, qui hurle.

Ted s'incline pour un salut, puis, faisant sautiller coquette dans sa paume, il la présente aux ovations, qu'elle en ait sa part, la valeureuse chérie !

On lui lance des bonnets de fourrure, des ceintures de cuir, des mocassins, des paquets de cigarettes.

— Quel triomphe ! exulte mon voisin. Il est imbattable, décidément. Je sentais bien qu'il allait pulvériser son précédent record !

Maintenant, on annonce la participation de l'étranger, mais les gens, comblés par la performance, sifflent. Ils refusent d'assister à des petites branlettes de retraité, après un tel triomphe. Ils préfèrent savourer l'extraordinaire réussite de Ted. Le congratuler dans la foulée. L'autorité du président du jury finit par rétablir le silence. Tout homme engagé dans le tournoi a le droit de s'exprimer. Que l'homme à la cagoule procède donc à son lancer puisque c'est son droit absolu.

Faut entendre la manière qu'on le conspue, le mec ! Décidément, ils sont moins fair-play que je ne l'imaginais, les Groenlandais. Même mon compagnon, homme pourtant calme et urbain, ronchonne :

— Que peut espérer cet individu après un tel résultat ?

Où les gens se calment et mettent la grande sourdine, c'est quand le dernier concurrent produit son appareil reproducteur. Pour lors, ça leur coupe le sifflet, un braquemart de cette importance.

— Je ne pensais pas qu'il pût exister un sexe aussi énorme, déclare le prof.

— J'en connais un autre tout aussi beau, assuré-je, mais je le croyais unique.

Le dernier concurrent ne se perd pas en préparatifs, à l'instar de Ted le Rouge. Non ! Lui, il empaluche sa batte de baise-bol et joue à « grelin, grelin, combien ai-je de cailloux dans ma main ».

Lui aussi émet un cri. Ça fait comme ça :

« Heeeeep laaaa ! »

Il s'arrête de cigogner son mât de misère. Le refourne presto dans le boudoir de son calbute, et puis attend.

Une certaine stupeur règne dans la salle. Pourquoi déclare-t-il forfait brutalement ?

Le juge arbitre se pointe, indécis, surpris lui aussi. Par acquit de conscience, il regarde l'estrade. Elle est restée immaculée, meuble et nette, vierge de toute trace. Alors il lève les bras pour faire signe que le concurrent est hors-jeu.

Mais à cet instant, les juges de ligne installés face au concurrent s'avancent en se torchonnant la frite de leurs mouchoirs.

— O Seigneur Dieu..., murmure mon pote à lunettes, je n'ose comprendre !

— Comprendre quoi ? insisté-je.

— Le... la semence de cet homme aurait passé par-dessus l'estrade et aurait éclaboussé la figure des juges ! Mais l'estrade mesure douze mètres !

A peine a-t-il dit que la nouvelle est confirmée et homologuée par le juge arbitre.

— Impossible de préciser au centimètre près, on doit se ranger à une appréciation approximative. Le jet serait de plus de quinze mètres !

La salle est plongée dans une brusque léthargie. Sur l'estrade, le pulvérisateur de records arrache sa cagoule.

— Bérurier !... balbutié-je.

MYSTÈRE ET BOULES QUI EST-CE ?

— Alors, donc, si j'eusse bien compris, je viens d'gagner une tonne de morue salée ? exulte le Gros. Content, l'apôtre. Relaxe. De la bouffe, tu penses ! Il donne des authographes à la ronde. Accepte les claques dans le dos, sourit aux flashes des photographes qui le vedettarisent. Il assume cette gloire qui vient de lui échoir, avec une parfaite sérénité.

— Y a vraiment pas d'quoi péter une pendule, assure le magnanime. Décharger à quinze mèt', c'est à la portée d' toutes les bourses quand c'est qu'on n'est pas un bande-mou. M'a suffisé d'penser très fort à ma Berthe, que certaines prouesses plumardières m'enragent les sens. Dites voir, m'sieur l'interprêtre, vous pourriez-t-il-t-il d'mander aux eurganisators qu'i z'envoient MA tonne de morue directo à Paname, chez moi, biscotte, quand j'vas rentrer, j'ai peur qu'a la raie au porc y m'chicanent pour l'excrément d'bagages. La Grosse va mouiller sa culotte en recevant c'paquet, elle qui raffole l'aïolie !

Moi, ces préoccupations matérielles me décoiffent, car j'ai hâte d'apprendre comment il se fait que le Gros se trouve dans cette bourgade perdue du Groenland.

Lorsque, enfin, il m'est donné de poser cette brûlante question, il sourit finement.

— J'sus t'en mission officieuse, mec. Là-bas, à la Cabane Pébroque, y trépignent qu'tu veuilles pas r'venir. Quand j'ai espliqué au Dabe qu't'étais embarqué pour le Gros élan à tes frais, manière d'sauver la mise d'un gonzier, y l'a décidé d'prendre les choses en main et d'm'envoilier à mon tour mett' mon grain d'sel. C'qui l'a motivé, c'est qu'c't'enculé d'Mathias a trouvé qui qu' c'était ton gus danois qu'on veut zinguer. Paraîtrerait qu'il f'sait partie d'un groupe d'chercheurs qu'a eu l'Prix Nobel, y a deux trois ans, pour des questions opticiennes, où j'sais pas quoi. L'côté lentilles, pois cassés, si tu mords ?

J'exulte. Voilà donc pourquoi Marika avait l'impression que Jakobsen ne lui était pas inconnu. On a dû parler de lui en son temps : le Nobel, tu penses !

— Et les autres gars qui travaillèrent avec lui, le Rouquemoute de merde a eu des précisions ?

— Moui, mec. Tous les trois étaient z'aussi des savants dans la branche à Jakobsen.

— Cet enviandé de sa mère a-t-il découvert où les quatre savants avaient accompli des travaux ?

— Y n'est pas certain, mais y croive bien qu'ils avait bossé ici, mon grand : au Gros et lent.

De saisissement, je me pince le testicule droit qui se met à me fourmiller.

Ainsi donc, Jakobsen ne cherche pas refuge au Groenland, *il y revient !* Dans quel but ? Oh ! la la ! ce que ça me passionne, ces giries ! Pour l'heure, il est lancé avec un attelage de chiens sur la calotte glaciaire, direction pôle Nord ! Cette perspective me galvanise. Il faut que nous lui mettions la main dessus de toute urgerie !

— Comment se fait-il que tu aies pu remonter si rapidement jusqu'à Upernavik, Gros ?

— Ça s'fait qu'je t'essuie à la trace, mon minet. Un bioutifoul gazier comm' ta pomme n'passe pas inaperçu, surtout dans ce patelin avec leurs bouilles de dégénérés.

— Que comptes-tu faire à partir de maintenant ? Cavalier seul ou bien t'unir à moi ?

— C'te connerie ! s'écrie Vinasse de l'Aïolie. Si j'ai

radiné, c'est pas pour t'faire du contrecarre, mon drôle, mais pour qu'on va r'nouer les bonnes habitudes !

Marika est déjà au courant de l'exploit béruréen lorsque nous la rejoignons sur la place du bivouac où les gens venus d'ailleurs pour assister au triathlon commencent à plier bagages. Narsuaq l'a mise au courant. Sa surprise vient de ce que le forcené de l'éjaculation, champion de tous les temps et *for ever*, est mon ami. Quelques explications pour éclairer sa jolie lanterne et ça baigne.

— J'ai déniché un hélicoptère, m'annonce-t-elle, nous pourrons partir dès que vous le souhaiterez.

— En ce cas, le plus tôt sera le mieux, ma chérie.

Je la regarde avec amour. Elle a le visage fatigué par nos ébats forcenés de la nuit. Des yeux sur croisée d'ogives, avec des cernes contre lesquels les fards sont impuissants. Ah ! la merveilleuse, la divine fatigue ; juste hommage rendu à mon déchaînement !

Déjà l'envie me reprend de la dénuder, de la presser, de l'ouvrir, de la goûter, de l'investir et de m'enfuir avec elle aux abîmes des délices. Nos regards se fondent. Se disent tout. Yayaïe, je suis drôlement pincé ! Que va-t-il advenir lorsque nous aurons rallié des contrées plus hospitalières ?

La fille aînée du père Narsuaq se tient à l'écart, en femme soumise.

— Vous l'avez questionnée, chérie ? demandé-je à Marika.

— Bien sûr. Elle n'a fait que répéter ce que son père nous a appris. Jakobsen a voulu foncer par l'inlandsis et l'a chassée en lui remettant de l'argent et des vivres. Il a promis, parvenu à Thulé, de remettre l'attelage au correspondant de Narsuaq.

— La môme a relevé la direction empruntée par notre homme ?

— Plein nord, c'est pas difficile.

— Nous pouvons espérer le rattraper aujourd'hui même ?

— Naturellement. Ce sera l'affaire de deux heures.

Je balance un moment, puis je décide de donner quitus à notre « cocher » et de prendre congé de lui ici même. Honnête, il veut nous restituer une partie des dollars que nous lui avons remis, mais nous les lui abandonnons à titre de dédommagement, afin de compenser les vicissitudes dont sa grande fifille a eu à souffrir. C'est classe, non ?

Je me rends compte, en survolant l'inlandsis, que tout ce qui a précédé n'était que batifolages dans la forêt viennoise. Là, t'as les foies, mon pote, devant ces montagnes de glace à perte de vue. Un enfer blanc. Je t'ai déjà proposé la formule ? Si oui, barre-là.

Armés de jumelles, nous observons l'immensité depuis la grosse bulle de plexiglas. Une mer figée, colossale, avec des cathédrales de glace gothiques, et des dépressions tobogganesques.

— J'espère que le chauffeur a fait son plein de tisane, déclare Bérurier. Si on tomberait en rideau de gazolina dans c'bordel, j'nous voierais pas fiérots.

Et presque aussitôt, il crie, telle la vigie de Christophe Colomb apercevant le Club Méditerranée de Guanahani :

— Terre ! Terre !

Invitant ainsi le pilote à se poser sur la neige solidifiée.

Effectivement, là-bas sur la droite, on aperçoit des silhouettes de chiens en demi-cercle. Un traîneau, des fourrures...

Notre zinc pique sur l'attelage provisoirement stoppé. Le vacarme du moteur effraie les cadors qui étaient en train de se chicorner. Ils se mettent à paniquer comme des fous, ces sales clébards, et veulent fuir ; mais leur panique étant désordonnée, ils tirent chacun dans une direction. Les efforts ne sont efficaces que coordonnés. Cette anarchie crée un bordel de tous les foutres diables. Le traîneau est renversé, son chargement éparpillé. Au comble de la terreur, les

chiens recommencent à se battre, car ils s'emberlifico-
tent dans leurs courroies.

Le tohu-bohu est indescriptible, ce qui va m'éviter de
te le décrire, donc, et j'en suis heureux car, malgré mon
talent, je risquais de me planter.

Nous nous posons à vingt mètres de la meute en
délire. Le pilote coupe les gaz et le silence revenu
apaise peu à peu les animaux.

— Prenez garde, me lance Marika. Ces fauves sont
déjà dangereux au repos, mais quand ils sont affolés, on
peut craindre le pire.

Malgré ses exhortations, je saute de l'appareil. J'ai
en pogne le pistolet d'un des gars que j'ai refroidis
l'autre matin dans ma chambre.

Quelque chose me sèche la gorge. Depuis que l'on a
repéré le traîneau, je n'ai toujours pas aperçu Jakobsen. Putain, ça me glace la tripe ! Tu veux parier que ce
con, incapable de bien manœuvrer l'attelage, en a été
débarqué par quelque cahot et qu'il s'est estourbi sur la
gelato ? Les chiens ont poursuivi leur route.

Je m'approche du traîneau à la renverse et le remets
droit. A cet instant, le cador de tête se précipite sur
moi, le regard fou, la babine écumante. Je le foudroie
d'une olive dans le chignon. Ça calme la belliquosité
des copains. Soumis, gémissants, ventre plaqué au sol,
ils se pissent parmi, comme on dit en Helvétie. Je peux
à loisir fouiller les hardes qui ont chu du traîneau :
ballepeau. *Nobody !* Pas plus de Jakobsen que de
beurre dans la culotte d'une broche placée dans l'âtre.

Béru qui m'a rejoint et qui a tout pigé murmure :

— Le gazier a disparu ?

Ecrasé par la déception, j'opine.

Marika s'avance à son tour. Elle aussi a compris le
drame.

— Vous croyez qu'il a été tué par les bêtes ?

Tiens, cela aussi est possible, voire vraisemblable.

— J'en ai bien peur.

— Y a une chose dont il faudrait qu'on fisse, déclare
Sa Majesté. C'est d'r'brousser les traces du traîneau,

en partant d'ici. On dirait au pilote d'faire du rase-glaçon jusqu'à tant qu'on découvrirerait l'Jako.

Le conseil est pertinent.

Avant de regagner l'hélico, Alexandre-Benoît, homme de nature, bon pour les animaux dont il fait un peu partie, sectionne les brides et autres courroies de l'attelage, histoire de libérer les chiens.

— Faut leur donner leur chance, nous dit-il. Av'c leurs instinctes, y r'tourneront dans des coincetaux habités.

Les clebs détalent sans demander de bons de sortie.

Par acquit de conscience, je me livre à un inventaire express du matériel gisant sur la glace : des caisses de vivres, un fusil à lunette, les papiers de Nicolaj Jakobsen, physicien, domicilié à Copenhague, une boîte à pharmacie, un réchaud avec des tablettes de combustible. Je ne conserve que les papiers et vais rejoindre mes amis.

Tout ce circus pour en arriver à cette piteuse conclusion ! Ce micmac d'enfer ! Ces opérations de commando, ces frais engagés, et t'apprends, au bout du compte, que ce tordu de physicien a été eu par la calotte glaciaire qu'il croyait pouvoir braver, ou par ses toutous qu'il s'estimait capable de contrôler !

Les chiens de l'attelage, perdus, retournant à l'état sauvage. Le traîneau abandonné. J'évoque les deux types raides dans le galetas de l'hôtel à Jakobshavn. Et le tomobiliste scrafé dans le quartier des docks à Copenhague. Sans parler du brave vicomte mort d'avoir su trop de choses. En voilà un qui aurait dû rester devant son tilleul-menthe, au lieu d'aller acheter des godemichés hyper-vibrants dans les sex-shops scandinaves.

Par l'intermédiaire de Marika, Béru donne des instructions à notre pilote. On redécolle aussitôt. L'appareil virevolte en une danse hongroise qui n'attend qu'une musique de Brahms. Les traces du traîneau sont mal lisibles sur la glace. On aperçoit bien çà et là des traînées, mais les fers du véhicule ne marquent le sol que lorsqu'ils décrivent des courbes.

Parfois on retrouve l'étendue intacte et le pilote doit se mettre à fureter avant d'apercevoir d'autres rayures brillantes.

— Ce n'est pas évident, soupire Marika. Je ne crois pas que nous pourrons chercher longtemps ainsi car l'obscurité va venir.

— La séparation de Jakobsen avec son attelage n'a pas pu se produire très loin du lieu où nous avons retrouvé les chiens, dis-je.

— Pourquoi ?

— Si j'en juge aux quelques jours de voyage que nous avons effectués à bord d'un semblable traîneau, les chiens sont incapables de le tirer longtemps sans être guidés.

— On va bientôt apercevoir la carcasse du mec, assure Béru. Ses molosses ont pas pu le glouper entièr'ment ! Doit au moins rester ses fringues, ses tartines, voire sa tronche ! C'est tout d'même point des lions de l'Altelas, ces bêtes !

On volette encore une quinzaine de minutes, puis, sans prévenir, notre *driver* pose sa libellule.

Marika l'interroge, mais le zig répond rien. C'est un bourru pas jacteur. Il saute de son cockpit et s'éloigne à larges enjambées.

Nous le voyons s'arrêter pour examiner le sol. Il s'accroupit et se met à le palper. Que n'ensuite de quoi, il lève un doigt vers la lumière rasante pour l'examiner.

Il revient et balance des explications à ma chère maîtresse.

— Alors ? la pressé-je.

Il dit qu'un hélicoptère s'est posé là : il y a des traces d'huile sur la glace. En outre, comme nous pouvons le distinguer, l'attelage s'est arrêté à cet endroit. On voit des traces de patins qui s'entrecroisent, de plus, il y a des touffes de poils car les chiens s'y sont battus.

Je saute de l'appareil, escorté du Gravos. Sherlock et Watson ! Nous voici le dos rond, à arpenter ce point

d'inlandsis. Sa Majesté bouillonnante va même jusqu'à
se déplacer à genoux sur la glace, son gros meulard
dressé vers le ciel : effet de pleine lune avant la nuit !
Elle pousse des exclamations jubilatrices. Lâche un louf
d'allégresse au cours de ses reptations.

En fin de compte, le cher Bérurier dégage de ses
braies l'appareil de propulsion qui lui a permis de
gagner une tonne de morue, et compisse la banquise au
risque de la faire fondre.

Il revient en se frottant l'entre-jambe.

— Ben mes drôles, ça se met à pincer sauvage ! Un
qu'aurait la prostate, sa miss zézette gèlerait avant qu'y
la coucouche-panier !

Puis, triomphal :

— J'ai pas eu raison qu'on suivrisse la piste, gars ?
C'qui s'est passé, j'vas t'y dire.

Il se pourlèche les labiales et continue en hurlant
pour dominer le vacarme des rotors :

— Clair comme de l'auroch, mon pote ! Ton gazier a
tapé le grand coup pour disparaître.

Il n'a pas besoin de se déconnecter les vocales, le
masuré de la coiffe. Moi aussi, je viens de piger. Notre
copain Jakobsen, il a plus de chou qu'on ne lui en
supposait. Il frète un attelage de chiens. Parvenu à la
hauteur d'Upernavik, il largue la conductrice pour
continuer seul dans l'inlandsis ; ce qui est plus qu'une
folie : du suicide ! Seulement, il s'agit d'une feinte-à-
Julot ! Le bougre a tout prévu. Quelqu'un de confiance
va venir le récupérer sur l'inlandsis avec un hélico.
Ensuite, l'attelage livré à lui-même s'en ira à la dérive.
Peut-être les bêtes se dévoreront-elles entre elles ?
Peut-être, mues par l'instinct, parviendront-elles à
rallier quelque lieu habité ? De toute façon, un jour, on
retrouvera la trace du traîneau car notre homme a pris
la précaution de ne pas l'abandonner trop loin de tout.
On retrouvera ses papiers à bord et il sera porté
disparu. Génial ! La solution, il l'a trouvée, Nicolaj.
Seule faille à son scénario : la complicité d'un pilote. Là

est le talon d'Achille de l'opération, comme disait mon cher ami le clown Zavatta.

Mais peut-être qu'il a également mis au point la parade à ce second danger hypothétique ?

— Et alors, selon moi, et je partage pleinement mon avis, continue la voix du cachalot, le gars y s'est fait venir chercher. Tu pourrerais m'abjecter qu'il aurait t'été enl'vé ? J'te répondrerais qu'non. Vu qu'les traces de pas causent, mon mec. Y en a qu'une qui va du traîneau à l'hélicoléoptère ! Slave veut dire qu'l'Jakobsen, y l'ait été seul à l'hélico.

Je pense que je lui ai cassé la cabane en récupérant ses fafs, au physicien. Personne ne peut plus apprendre sa mort dans l'inlandis !

Quelle affaire !...

DE QUOI SE LA MORDRE !

— Et si qu'on s'serait planté dans not' raisonne-
ment ? murmure Alexandre-Benoît. Si qu'quéqu'un
l'aurait enlevé du traîneau ?

Bien sûr, moi aussi j'envisage. Mais je me raccroche
à l'idée que, jusqu'à présent, on a tenté de tuer
Jakobsen, non de le kidnapper. En le voyant sur la
banquise, ses poursuivants n'avaient qu'à l'étendre
d'une ou deux bastos tirées par un fusil à lunette depuis
leur hélico, sans avoir seulement à poser celui-ci. Pas
dur de lui éclater la tronche à cinquante mètres, puis de
s'en aller à tire de rotors et larigot.

Je tiens la main de Marika et nos doigts sont
enchevêtrés. Rends-toi à l'évidence, Hermance : nous
nous aimons. Plus fort que l'intensité de l'affaire qui me
propulse gentiment vers le pôle Nord, le sentiment
radieux qui m'exalte domine ma vie présente. Je
n'arrive pas à chasser de mon esprit nos prouesses de la
nuit précédente. Cela dit, pourquoi appeler
« prouesses », cet embrasement divin ? Il va me falloir
perdre l'habitude des mots mesquins qui dénaturent tout.

Nous sommes toujours en hélico, mais à bord d'un
second appareil, plus puissant que celui qui nous a
permis de retrouver le traîneau abandonné. Je songe
que mon compte en banque va être à plat après une
telle équipée. En rentrant, faudra que je « remue »
quelques petits placements, histoire de me refaire un
peu de fraîche.

J'ai rien d'un financier ; le pognon m'encombre toujours comme une chose incongrue.

Je t'en reviens à cet appareil performant, affrété à prix d'or, pour nous faire conduire à Thulé.

Pourquoi Thulé ?

Là, Nicolas, c'est le gros tournant du match. L'instant fatidique où je ne suis plus que mon instinct, sans barguigner ni réfléchir. Tu connais l'éternel gag des dessins animés ? Le héros court sur une falaise. La falaise cesse. Il continue de courir dans le vide, droit devant lui. Et puis il réalise qu'il n'y a plus le sol sous ses pieds, alors il tombe. Vachement philosophique, si tu veux bien y réfléchir. Pour ma pomme, c'est du kif. J'ai perdu la trace de Jakobsen ? Qu'importe ! Je continue de lui courir après ! P't'être tomberai-je, en fin de compte ? Mais p't'-être pas. Si t'as pas confiance en ton nez, qui croiras-tu ?

Une fois de retour à Upernavik, on a visité la base d'hélicos, manière de se rancarder à propos de l'appareil qui est allé récupérer l'ami Nicolaj. Mais nous n'avons rien appris. Personne n'était informé d'une expédition de ce type.

Bon, les hôtels étant enfin libres, puisque le fameux tournoi de triathlon remporté par Béru avait pris fin, nous avons pu nous loger à l'hôtel *Paranoïaq,* le plus moderne de la ville. Sa Majesté a failli créer un début d'esclandre car l'heure de l'alcool était passée. Mais sa qualité de champion lui a valu une dérogation spéciale de la police du cru et l'aquavit s'est mis à couler à flots.

Au bout d'une plombe, il ne restait pas un seul mec capable de se voir les mains s'il tendait les bras en avant. Juste nous, Marika et moi.

Le repas achevé, tu parles comment qu'on s'est rabattus dans notre chambre. Et alors, tout a recommencé, ou plutôt, repris. Pas aussi follement que la veille, mais avec davantage d'âme. On peut pas s'imaginer, l'âme et le cul, dans certains cas exceptionnels, comme ils font bon ménage. Cette plénitude à laquelle ils accèdent, mine de rien.

On a démarré sur le lit, comme des grands. Mais dix minutes plus tard, on roulait sur le tapis. A se crier des trucs fous et à s'en bricoler de bien plus fous encore !

Avec une frénésie désespérée. Comme si on ne devait jamais parvenir à l'aboutissement suprême, nous deux. Comme si on avait des tunnels à creuser, des murailles à édifier, des armées à vaincre, des kilomètres, des *miles* et des verstes à parcourir. Une sorte de formidable gloutonnerie de nous. Je crois que ça atteignait au cannibalisme, notre cas. Le grand vrai rêve eût été de s'entre-manger. De plus rien laisser de nous.

On a mis encore des heures et des heures à s'assouvir. On désespérait d'y parvenir. Mais en fin de compte, les cieux se sont déchirés et on a pu jouir comme des malades dans une apothéose que c'est pas la peine d'en causer : tu pourrais pas comprendre.

Ni toi, ni personne. Ça se passe de l'autre côté de la vie, et si intensément qu'on est certain d'en mourir.

Et puis on en guérit, tu vois. Et on a une sombre hâte de recommencer pour conjurer le maléfice du quotidien, ce salopard qui contamine tout, sournoisement, et finit par transformer Tristan en notaire de sous-préfecture et Yseult en dame patronnesse. Car telle est notre condition, mon frère. Promis nous sommes à l'éclopage par le temps. T'as beau dire, regimber, il t'érosionne, le fumier ! Juste la mort précoce pour t'épargner, ô comble ! Sans elle, la bienveillante, Roméo prenait du bide, et Juliette des varices, et ils auraient fini par se dire « je t'aime » à travers deux dentiers.

On a quand même dormi. Au réveil, on a perçu des clameurs en provenance du bas. Renseignements pris, c'est Ted le Rouge qui voulait sa revanche au bras de fer contre Béru. Ayant appris que le Mastar se trouvait dans l'établissement, il rameutait ferme, le barbu roux. Jetant ses défis comme des glaves. N'à la fin, le dirluche du *Paranoïaq*, soucieux de préserver son matériel, est allé quérir le Dodu, lequel cuvait sa bonbonne d'aquavit.

Prosper s'est pointé, tout badru, avec une frime d'alcoolo qu'on interne. Il avait mis ses grands yeux de vache aveugle qui ne voyaient rien, et son piège à macaronis lui donnait un air de desperado sud-américain. On l'aurait vu avec des cartouchières en bandoulière, façon boyaux de vélo des premiers coureurs du Tour (merci, m'sieur Desgranges !).

Sa liquette (jaune par-devant et marron par-derrière) pendouillait à la russe sur son grimpant de cheval.

— C'est à propos de quoi-ce ? bougonnait-il. Barbapoux qui la ramène ? J'aimerais savoir ce dont il veut. Si c's'rait un kilo d'bidoche avec os dans le museau, j'peux lu trouver ça pas cher.

Marika, en robe de chambre blanche gansée de rose par-dessus sa nudité sublime, lui a expliqué le souhait de Ted le Rouge.

— Si y aurait qu'ça pour l'embellir la journée, j'sus son homme. A condition qu'vous veuilleriez bien m'commander un grand café moitié café moitié gnole, ma douceur.

On a fait droit à sa requête. Des gens de partout, prévenus par on ne sait qui, accouraient. Le taulier mouillait de bonheur devant cette recette imprévue. Alexandrovitch-Benito a éclusé sa potion magique posément. Ses esprits lui revenant, il louchait déjà sur le décolleté de Marika.

— T'as pas dû sombrer dans les mélancolies, l'artiss, a-t-il murmuré. C'te frangine, elle doit t'arracher l'copeau sans rabot, j'devine. C'est d'la gonzesse qui sait trépigner du fion sur une biroute, pas vrai ? D'en plus, j'la trouve haut'ment sympa. Dirèque, pas bégueule. Moi, j'serais toi, c'est l'genre d'sujet que je marierais. N'autant plus qu'une femme d'c'te classe, c'est comme ma Berthe : tu peux la sortir n'importe où, ell't'f'ra jamais honte. Vise-moi ce beau cul pommé, charogne ! Deux noix d'coco, mec ! C'est d'la personne d'éception. Le tout beau lot d'la tombola voyouse.

Mais Ted le Rouge s'impatientait, poussant des cris

d'otarie en gésine et montrant son bras musculeux en le brandissant par-devant sa barbe.

On avait déjà préparé une petite table pour les deux adversaires, avec une chaise part et d'autre. Ça braillait comme à la criée aux poissons de Marseille dans l'assistance. Les paris allaient bon train.

Quand ils se sont assis, la frénésie s'est un peu calmée. Chacun a posé son coude au milieu de la table. Leurs énormes pattounes plantigradeuses se sont saisies, et plaouff! D'un seul coup, Ted le Rouge a abattu le brandillon de mon pote sur la table. Le public a poussé un tel cri que des tympans se sont mis à saigner, çà et là.

Ted le Rouge a levé ses mécaniques en signe de victoire et il a crié sa joie par-dessus le tumulte ambiant.

Béru m'a regardé.

— Non, mais qu'est-ce y croient ? Ça n'avait pas commencé ! Personne il avait donné le top de départ, bordel ! Ce vilain con m'a eu à l'incorrection !

Marika a bien voulu développer les griefs du Gros. Mais les gens d'ici n'étaient pas fâchés de voir cet enfoiré d'étranger capable d'éjaculer à quinze mètres se faire torcher au bras de fer.

Le taulier, promu arbitre, a dit que la partie se jouait au meilleur en trois manches.

Cette fois, Béru s'est gaffé. Un bras d'airain, dès qu'il l'a eu posé sur la table. Ted le Rouquemoute a voulu répéter sa feinte, mais il est tombé sur un bec. L'avant-bras du Gros est resté planté comme un arbre. Dès lors, le rouquinos des glaces a cessé de sourire. Cette fois, ça a été une vraie partie de bras de fer : les yeux dans les yeux, la trogne apoplectique, l'effort poussé jusqu'à l'orgasme et des ombres haineuses en mouvement sur les visages. L'enfer !

Ils se comprimaient jusqu'à l'explosion, les deux matamores. Se bandaient à ne plus rien pouvoir d'autre, que même un battement de cils risquait de tout déséquilibrer.

Ils poussaient, poussaient... C'était con et beau. Turpide et héroïque. Jean Valjean soulevant la charrette au père Dunœud sous l'œil hugolien de Javert (et contre tout).

Ces deux bras à l'assaut l'un de l'autre, frémissaient mais ne bougeaient pas réellement. Ça restait épidermique, en surface. Juste les nerfs affleureurs qui fibrillaient. Le regard à Ted le Rouge est devenu violet, puis presque blanc. T'aurais cru qu'il mourait d'effort.

J'ai su que Béru gagnerait cette manche et je vais t'expliquer pourquoi. Le barbu roux ne pouvait plus se permettre de respirer tellement il était surcompressé de partout. Il agonisait d'asphyxie, ce connard. Tandis que Béru, lui, son gros tarin pompait de l'oxygène à tout va, de quoi alimenter un sous-marin en plongée pour deux mois.

Le Roux, il mettait tout dans cette lutte : ses muscles, ses tripes, ses burnes, plus ce dont il disposait de cerveau. Quant au Gros, il souquait à mort aussi mais en se conservant à lui, malgré tout. Ainsi, à un moment, il a balancé un énorme pet qui a fait bidonner tout le monde. Ça prouvait qu'il conservait des aisances par-devers soi, comme disent les notaires. Il disposait toujours de sa liberté d'entrailles, ce dont son adversaire aurait été incapable.

Leur affrontement atteignait au sublime. On croyait voir jaillir des étincelles de leurs mains enchevêtrées.

Ted le Roux a voulu placer sa pointe ultime de dépassement de soi. Il a rassemblé des surplus d'énergie, des parcelles de force. On a constaté cette mobilisation forcenée, et alors je me suis mis à craindre pour mon pote. Mais le Mastar, tu ne peux pas savoir, ce génie de la situation, ce sang-froid surnaturel.

A l'instant où son tagoniste plaçait sa surmultipliée, lui, débonnaire, lui a vaporisé un rot en pleine poire. Ça a tonné pis que son récent pet. Cela a fait « brwouaaaah ! » et y a eu une sorte de vapeur accompagnatrice. Ted de Roux en a sursauté. Fatalitas ! Le dos de sa patte velue s'écrasait sur la table avant qu'il ait pigé comment. Une pattemouille ! Bérurier a récupéré ses cinq francforts et les a agités comme un qu'enfile un gant ou s'apprête à obturer une frangine urbi et orbi kif les trous d'une flûte traversière.

Une salve enthousiaste a crépité.

Ted le Rouge, vexé, gueulait comme cent putois à un congrès du Front National. Il disait des choses et les gens applaudissaient.

— Môssieur a encore ses vapeurs ? s'est enquis le Mammouth.

— Il exige un gros enjeu pour la troisième manche, a traduit ma chère chérie ineffable et somptueuse.

— Quoi-ce ?

— La tonne de morue que vous avez gagnée hier.

— Tout c'qu'y a d'estrêment volontiers, ma poule. Mais lui, qu'est-ce y propose en échange ?

Elle a posé la question au diable rouge. Ce dernier a balancé deux mots brefs.

— Sa femme ! a traduit Marika.

Tout autre que Béru aurait fait des giries. Lui, très calme, a déclaré :

— Faut qu'j' la voye !

Ted le Roux a quitté l'hôtel un court instant. Sa rombière devait l'attendre non loin de là car il l'a ramenée presque aussitôt.

C'était une Esquimaude à la face plate qui, sans être à proprement parler belle, ne manquait pas d'un certain agrément. Elle portait un corsage rouge brodé de perles bleues et jaunes, plusieurs jupes noires superposées et elle avait un fichu de dentelle sur sa chevelure noire longue et huileuse, nouée en queue de cheval.

Le Gros s'est décidé d'emblée :

— Banco ! Dites-y qu'y peut d'or et d'orgeat lu faire ses adieux de Fontaine Bleue.

Cette fois, le public était passionné par la troisième manche de ce combat singulier. Les enjeux mobilisent les foules. L'appât du gain l'emporte sur toute autre considération, fût-elle esthétique. On vit dans une société où « La Roue de la Fortune » carbonisera

toujours le succès des « Chiffres et des lettres ». Que
M. Armand dote cette belle vieille émission d'un
milliard d'anciens francs de prix, et les télé-spectres-
tâteurs fermeront la boutique pour ne pas la rater !

Ted le Roux se faisait masser l'épaule par un pote à
lui, promu soigneur. Il roulait des yeux injectés de sang
que Béru interjetait en souriant.

— Dis voir, elle est pas mal, sa gerce, à ce con de
barbapoux, jubilait mon aminche. J'ai idée qu'elle
aimera les frottées d'grand veneur, gars. Son mocheton
doit la niquer comme un goret avec le paf navrant qu'y
s'trimbale. T'as maté, hier, au tournoi d'élucubration,
ce chibre de marchand de cercueils ? Moi, j'aurais un
goum avec une aussi sale mine, j'oserais même pas
l'enquiller dans l'fion d'un phoque pour mon confort.
C'est pas une bite, c't'un détergent !

Ted le Roux a glapi qu'il était prêt.

— Gaffe-toi bien, ai-je fait à mon pote. C'est un
gussier qui, au bout d'un moment d'effort intense
trouve un second souffle, lui laisse pas le temps
d'enclencher le turbo.

— Fais-toi pas d'souci, mon drôlet, m'a rassuré le
Suffisant ; c'plouc m'a eu à la surprenette l'premier
coup, mais c'est fait pour la vie !

Et les voilà en place à nouveau. Farouches, ardents,
subjugués par l'atmosphère électrique qui règne dans la
salle du *Paranoïaq*. Instant d'exception. Nouveaux
gladiateurs en cette terre ingratement belle de l'immensité nordique, ils galvanisent les spectateurs. On est
affamé de spectacles, au Groenland. Des nuits de six
mois, tu te rends compte ?

Le claquement feutré des deux mains plaquées l'une
à l'autre. Cette fois, Ted le Roux ne se laissera pas
démonter par une incongruité. Immédiatement, son
regard est injecté de sang. Il mord si durement sa lèvre
inférieure que le raisin en pisse avec abondance.

Mais, que se passe-t-il ? Ne voilà-t-il pas qu'il se met
à gémir et à se trémousser sur sa chaise ? Son avant-bras

tremble comme une canne à pêche lorsqu'un gros poissecaille est ferré.

Alexandre-Benoît arbore son sourire de brave homme. On dirait qu'il vient de toucher le tiercé.

Je me demande bien ce qui se passe entre les combattants. En loucedé, je regarde sous leur table, histoire de vérifier si le Mastar pratique une botte secrète. Mais non : les quatre paturons sont chacun chez soi, arc-boutés.

Alors ?

Maintenant, il pleure, Ted le Rouge. Carrément. Ne peut plus se contenir. Il semble souffrir comme un damné.

Sûr de soi et dominateur, Béru lui abat le bras aussi aisément qu'un chauffeur de taxi renverse son petit drapeau de prise en charge.

Fini !

Cris !

Liesse !

Le Gravos se lève, prend appui des poings sur la table de la victoire et adresse des saluts à ses fans.

Son adversaire n'a pas bronché. Sa main est toujours à la renverse, inerte sur le bois vernis de la carante. Je remarque alors qu'elle est toute bleue. Je réalise que Bérurier la lui a saisie d'une certaine manière et qu'il lui a écrasé les doigts, très simplement, selon une recette qui a contribué à sa gloire.

Le Majestueux demande à Marika de faire servir une tournée générale à ses frais à lui (c'est-à-dire à ceux de l'administration française qu'il représente si bien) et puis de demander son nom à la ci-devant Mme Ted le Rouge, devenue en un tournemain (si je puis le permettre) Mme Alexandre-Benoît Bérurier des Passages à tabac parisiens.

L'aimable personne s'appelle Samso-Nyte.

— Ça tombe bien, a déclaré Béru, puisqu'elle va se faire la valise avec moi !

L'hélico fait un boucan (de l'italien *baccano*) de tous

les méphistos. Une large clarté qui tient lieu de soleil
nous permet de voir glisser sa grande ombre sur le sol
couleur de perle. L'Esquimaude ne semble pas marrie
de l'aventure. Son nouveau compagnon lui plaît. La
malheureuse ! Si elle savait ce qui l'attend pour sa nuit
de noces ! Ce monstre mandrin taillé dans la masse
qu'elle va devoir se respirer avec ses moyens naturels,
la pauvrette ! Elle risque d'appeler sa mère, pour la
deuxième fois de sa vie sexuelle ! Car enquiller l'ogive
du Gros équivaut à la perte d'un second pucelage. En
attendant, elle se laisse fourbir les doudounes avec
complaisance. L'ignorait ce genre de caresse jusqu'à cet
instant. Elle pressent que ça va être mouvementé, la vie
avec son nouveau seigneur et maître. Plein d'imprévus,
de sensations rares, de cris et de chuchotements. Déjà
que la voici dans les airs pour la première fois. Eux,
Ted le Rouge et elle, c'était toujours le bateau, leur
mode locomotoire. Des rafiots dégoulinants d'huile et
crépis d'écailles de poissons.

Marika a sa joue contre mon épaule. Elle me tient la
main avec ferveur. Je lui chuchote des choses pas
répétables dans un bouquin de cette haute tenue
morale et de cet académisme sourcilleux. Je lui raconte
ce que je projette de lui refaire lors de notre prochaine
intimité. Et ce que je suis en train d'inventer pour la
surprendre et la combler. Elle approuve en pressant ma
dextre. Je lui ajoute que la quitter me sera impossible.
Est-ce qu'elle serait d'accord pour venir habiter Saint-
Cloud ou si je devrai, moi, emménager à Copenhague ?
Elle préfère habiter la France. Je lui souligne que je
n'ai plus de situation, mais elle se bile pas pour autant.
On créera une affaire de n'importe quoi, au besoin on
achètera une fleuristerie pour vendre des roses et du
lilas au printemps. Elle a le génie des bouquets. Ceux
qu'elle confectionnait chez son brasseur faisaient l'admiration du Tout-Copenhague. Moi je veux bien vendre des bottes de violettes. Je livrerai en ville avec une
fourgonnette blanche sur laquelle on fera peindre notre

raison sociale en caractères composés de pâquerettes et de pensées.

Le zinc ronfle comme une caserne en fonçant vers le Nord.

— Tu es sûr que nous faisons bien d'aller à Thulé ? murmure ma Douceur, comme si elle captait mes doutes les plus sournois.

— Non, je n'en suis pas sûr du tout, mon amour. C'est comme une espèce de pressentiment. Chez les flics, nous appelons cela le flair. D'avoir appris qu'il y avait là-haut une importante base américaine m'a motivé. Je renifle que ce farceur de Jakobsen a quelque chose à voir avec ladite base.

Plus on grimpe vers le 78° parallèle, plus on « voit » le froid s'intensifier. La nature perd peu à peu ses derniers havres. La côte elle-même est pétrifiée, glacée, déserte.

Après cette équipée, j'emmènerai Marika faire un tour à Marrakech ou à Marbella, histoire de nous réchauffer un bon coup !

Je finis par m'endormir, brisé de fatigue (la plus merveilleuse de toutes). Marika en fait autant. Je continue de toucher sa peau, de respirer son délicat parfum.

Il y a deux membres d'équipage à bord : le pilote et un radio. On entend ce dernier qui jacte dans sa phonie. Toujours les mêmes conneries pour scouts hardis : « Tango Bravo appelle Monzob ». Rien n'est simple pour les hommes. On descend vers un horizon mort. Thulé, je te conseille pas pour y organiser un congrès. Ici, le désespoir accède au pathétique, comme me le disait naguère mon cordonnier. Des falaises abruptes, des glaciers colossaux au bord d'une mer gelée, à la tienne, Sébastienne ! Le patelin le plus septentrional du monde ! Juste des Esquimaux, des phoques et des Ricains. C'est là que Knud Rasmussen, l'explorateur des glaces, installa son premier comptoir en 1910. Depuis, les Amères loques ont fait mieux. Leur base s'étend sur plusieurs kilomètres carrés, c'est une véritable ville préfabriquée, aux pavillons tous identiques et tirés au cordeau non loin d'un immense terrain d'aviation pour appareils lourds. On aperçoit des radars géants, des émetteurs de radio ; tout un bordel qui nous paraît futuriste tant il est sophistiqué. Des hangars géants moutonnent à l'infini. On découvre, au cœur du camp, quelques bâtiments de briques (et de braques) et même une chapelle moderne dont la croix met un signe de connivence dans ce paysage de science-fiction.

Nous atterrissons sur un terrain secondaire, mi-civil, mi-militaire, situé en bordure de la piste principale.

Aussitôt, des militaires U.S. emmitouflés dans des capotes fourrées et coiffés de passe-montagnes en peau de loup-foque, se précipitent sur nous pour savoir ce qu'on vient branler dans leur Disneyland groenlandais. Ils portent des lunettes chauffantes et ont de la crème Radior sur les lèvres. Tu jurerais des Martiens ! Je n'en ai encore jamais rencontré, mais je sais qu'ils ressemblent à ces gusmen.

Comme mes explications, il est vrai, fumeuses, ne les satisfont pas, les voilà qui nous chargent dans un station-wagon et nous embarquent jusqu'à un bâtiment en verre et acier qui doit être rudement duraille à chauffer, moi je dis, avec un froid de ce calibre.

Nous claquons littéralement des chailles, à l'exception de Samso-Nyte, laquelle a l'air aussi à l'aise que moi lorsque j'écluse un Pernod 51 sur une terrasse de Saint-Paul-de-Vence.

Cette fois, c'est la fin de section, les gars ! Le stop définitif. Plus haut dans le Nord, tu peux pas, à moins de filer sur le pôle voir la gueule qu'y ferait ta boussole, Anatole.

Contrairement à ce que je redoutais, le local où l'on nous invite à pénétrer est chauffé. Je découvre des burlingues pimpants, aux couleurs vives : vert et orangé ; aux meubles modernes en pâte de verre et acier détrempé. Il y a des reproductions de peintures hyperréalistes sur les murs et des distributeurs de boissons dans les couloirs.

Les zigs qui nous ont amenés nous laissent attendre un bout dans une pièce faite pour, où tu trouves des canapés et le *Financial Times* sur une table basse. Des haut-jacteurs encastrés diffusent de la zizique douce. Franchement, tu te sens rider dans cette ambiance et c'est si vrai que le gars Béru, émoustillé par son lot à emporter, vient de le faire asseoir sur ses genoux pour mieux fourrager dans ses guenilles.

Les Ricains, leur force c'est de s'adapter partout et de s'installer comme pour toujours dans les endroits les plus inhumains, inextricables et démoralisants. Dans ce bâtiment, tu te croirais à Philadelphie ou Dallas, mais en tout cas pas dans l'extrême nord du Groenland inhospitalier.

Un planton vient nous quérir. Un zigmuche très « marine » avec sa boule rasée, sa mâchoire pour affiche « Engagez-vous dans la Waffen S.S. » et son regard pareil à deux baïonnettes trempées dans du curare.

Il nous emporte dans un grand bureau où dominent trois éléments fort distincts : un colonel en uniforme, un drapeau américain (lui aussi en uniforme) et un basset hound qui ressemble à Toulouse-Lautrec à quatre pattes pour retrouver son bouton de col.

Le colonel est rougeoyant, blond jusqu'à l'albinosserie, et promène un regard bleu d'alcoolique blasé. Comme il s'ennuie, il tute ; et comme il tute, on lui a confié la direction du service de sécurité de la base, ce qui ne doit pas trop le torturer vu que dans ce bout de monde glacé, il ne se passe rien, sinon un coït d'ours blancs de temps à autre.

— Hello ! il nous adresse.

— Hello, général, le montéjengrade.

C'est le genre d'erreur qui fait toujours plaisir à l'intéressé.

Une plaque de plexiglas doré posée sur l'angle du bureau annonce cependant le grade et le nom du bonhomme : « Colonel J. H. Ferguson », mais je feins de ne l'avoir point vue. Ferguson louche sur Marika. Il est en train de se dire qu'à l'époque où il bandait encore, avant sa totale inhibition, il l'aurait volontiers fourrée princesse. Et puis tu sais ce que c'est que la vie. On surmène son foie et vos glandes vous lâchent ; que le moment inexorable rapplique où tu te réveilles avec la bistounette toute molle, au lieu des matins triomphants, peu utilisables à la vérité, mais qui te font tout de même plaisir en te rassurant.

— Qui êtes-vous, d'où venez-vous et que venez-vous faire ici ? interroge Ferguson.

Sa question lui ayant donné soif, il sort une bouteille de whisky canadien d'un tiroir, s'en sert un verre qu'il torche comme une orangeade et fait claquer sa belle langue lubrifiée contre un palais qui doit ressembler à une masure.

Je prends l'initiative des réponses :

— Ces dames sont, l'une danoise, l'autre dano-groenlandaise, mon général. Monsieur ici présent est un officier de police français chargé d'une mission rogatoire. Je suis également français et je lui sers d'interprète. Nous sommes à la poursuite d'un homme mêlé à une affaire internationale à propos de laquelle nous cherchons des détails.

A partir de là je lui brosse un canevas un peu fantasque, mais qui lui plaît autant qu'un épisode de *Ma sorcière bien-aimée.* Nous pensons que l'individu est venu jusqu'à Thulé. S'il pouvait nous confirmer le fait, nous lui décernerions la Légion d'honneur en chocolat et nous baiserions désormais nos compagnes en criant son nom au moment de l'orgasme.

Le colonel, ça l'intéresse.

Il sonne son boy et lui dit d'apporter des verres et le lieutenant Rendell.

Le voici tout urbain ; tellement il se plume derrière son beau burlingue, notre arrivée met une embellie monstre dans sa putain d'existence hibernante.

Il insiste pour nous offrir un coup de raide. Marika

décline, mais l'ex-mère Ted le Rouge fait un cul sec de guerrier qui comble d'aise Sa Majesté.

— Non, mais t'as noté le coup d' glotte à médème ! bée-t-il. Ah ! j' sens qu'on aura un bioutifoul avenir, les trois, avec Berthe !

Arrivée du lieutenant Rendell. Il claque des talons si fortement que ça le déséquilibre et qu'il choit sur la moquette.

C'est un gros tas de merde gonflé à l'hélium. Des noix de cajou, des amandes salées (moins salées toutefois que celle que t'as morflée l'autre nuit pour excès de vitesse) et des cacahuètes s'échappent de ses vagues déformées.

— Il faudra que je vous apprenne à saluer correctement, Rendell, soupire Ferguson.

Et, à nous :

— Il n'a jamais pu claquer des talons sans se flanquer la gueule par terre ; il faut dire qu'il se casse le péroné tous les six mois sur la banquise. Repos, Rendell. Et même asseyez-vous.

Le colonel libère un hoquet (sur glace) consécutif au whisky.

— Rendell ne tient pas debout, mais question service, il reste à la hauteur, assure-t-il.

Il désigne notre groupe au lieutenant.

— Vous savez qui sont ces gens, Rendell ?

— Les passagers de l'hélicoptère qui vient de se poser, colonel.

— En effet. Un autre hélico, étranger à la base, se serait-il posé ici depuis hier après-midi ?

La réponse est tout aussi spontanée :

— Parfaitement, colonel.

— D'où venait-il ?

— De Godthaab.

— Nombre de passagers ?

— Aucun passager, seulement le pilote et le radio.

— C'est au diable, Godthaab, dans le sud de ce putain de pays de merde ?

— En effet, colonel.

— Ils sont venus par étapes ?

— C'est probable, colonel.

— Motif de leur voyage ?

— Nous apporter des pièces détachées pour nos propres appareils, colonel. Ces pièces sont arrivées au Groenland par la mer en provenance d'Angleterre.

— Les deux hommes sont repartis ?

— Pas encore, colonel, car leur zinc avait une fuite d'huile.

Moi qui commençais à désespérer, je marque une réaction. Une fuite d'huile ! Je revois la tache sur la glace, dans l'inlandsis.

— O.K. ! Rendell, ce sera tout !

Le lieutenant s'arrache à son siège, va pour saluer, mais le colon l'en empêche :

— Inutile, Rendell, vous vous casseriez encore la figure. Oh ! soyez gentil, mon vieux : avant de partir ramassez donc vos foutues friandises pour macaque qui souillent ma moquette !

— Colonel, dis-je, me permettriez-vous de rencontrer les deux pilotes de cet hélicoptère dont parle le lieutenant ?

— Voulez-vous que je les fasse venir ?

— Inutile, nous ne vous avons que trop importuné ; j'irai les voir.

— A votre aise, vous avez carte blanche. Rendell, conduisez mister San-Antonio auprès de ces deux zigotos !

— A vos ordres, colonel.

Mes amis se dressent en même temps que moi, mais le colonel Ferguson les retient.

— Non, non, restez avec moi, on va écluser encore un glass ou deux.

Jamais Béru n'a su résister à un tel argument.

— Si vous voulez bien m'accompagner, chère Marika, fais-je. C'est au cas où les pilotes en question ne parleraient que le danois.

Elle n'espérait que ça, ma chérie.

Nous les trouvons dans l'atelier de réparation des engins volants, surveillant le travail d'un mécano. Leur appareil est un gros coucou dont le rotor principal, au repos, paraît flétri comme les feuilles d'un bananier touché par le gel.

Notre survenance les laisse froids (ce qui n'est pas exceptionnel ici). Malgré tout, ils ne peuvent retenir une œillade salingue sur Marika.

C'est le gros lieutenant Rendell qui les alerte :

— Vous avez un instant, les gars ?

Bon, ils comprennent l'anglais, et même l'américain. Le danois, ce sera pour les questions indiscrètes, en admettant que j'en eusse à leur transmettre.

Sans piper, ils nous accompagnent dans un box vitré situé au bout du hangar.

— Monsieur à des questions à vous poser, déclare Rendell en me désignant du menton.

Je les chambre d'un sourire avenant, mais dont ils n'ont rien à secouer. Il s'agit de deux taciturnes. Des gars plutôt âgés pour des pilotes : la cinquantaine enveloppée. On les croirait frères et je me demande s'ils ne le sont pas pour de bon. Le mieux est de leur poser la question :

— Vous êtes frères ?

— Oui.

Tu vois que je ne me goure pas quand je m'applique ! Le plus aîné des deux est chauve du dessus et ressemble à un empereur romain destitué.

Leur vie, ces deux mecs, je la ligote à livre ouvert. Faut dire que je me trouve dans un moment où, curieusement, les piles de ma jugeote sont rechargées à bloc.

— Vous travaillez à votre compte ?

— Exact.

— Vous êtes de Copenhague ?

— Affirmatif !

Oh ! la la ! le langage pilote ! Toujours la branlette, je te répète, des vocabulaires professionnels !

— Vous connaissez Nicolaj Jakobsen de longue date, non ?

Leurs gueules ! « Vraouin ! » Ils étaient loin de s'attendre. Ce qui les trahit, c'est le regard qu'instinctivement ils échangent.

— Pourtant, continué-je, il est plus jeune que vous !

Pourquoi fais-je cette bizarre remarque ? Parce que, je te répète, l'inspiration me porte. Je pressens des liens entre les deux frangins et Jakobsen. Des liens sérieux puisqu'il avait confiance en eux au point de les inclure dans son plan de secours. Ils ont eu leur partition à jouer à un moment précis du scénario monté par l'homme traqué.

— Nous ignorons de qui vous parlez, fait le chauve.

— Vous avez tort de vous méfier de moi, insisté-je. Je le cherche pour le protéger, non pour l'abattre. Je suis l'ami du Français qui lui a sauvé la mise à Tivoli Park, il y a plus de quinze jours. Je pense que Nicolaj vous aura raconté l'épisode. Ça a failli être dramatique.

J'attends. Les deux types ne sourcillent pas. Des sacrés coriaces ! Ils ne diront rien car ils ont juré la discrétion absolue au physicien.

— Vous l'avez repêché sur l'inlandsis. Il avait déjà largué la fille qui drivait le traîneau, cette fois il a abandonné l'attelage tout entier pour s'envoler avec vous.

Je sors les fafs de Jakobsen d'une de mes fouilles.

— Voici ses papiers, qu'il avait laissés intentionnellement pour faire croire à sa mort. Ils vous prouvent que je ne déconne pas. J'ai retrouvé le lieu de votre rencontre. Votre coucou perdait déjà de l'huile, il y en avait large comme une assiette sur la glace.

Pas un muscle de leur, etc.

Gueules de marbre.

De bois.

De raie !

Je peux cependant pas me mettre à leur arracher les couilles avec une tenaille pour les contraindre à parler !

C'est alors que la chère fée Marjolaine intervient.

Elle porte le pseudonyme de Marika, elle est blonde et elle fait l'amour comme aucune femme depuis Eve. Sa toison est d'or, comme sa parole. Elle est folle de moi, moi je suis dingue d'elle. Nos étreintes sont vertigineuses. Elle est pour moi la plénitude des sens. Tu vois de qui je cause ?

Donc, ma fée, ma reine, ma déesse, ma muse, ma cornemuse prend la parole. Elle dit aux deux hélicopteurs :

— Vous connaissez la bière Carl Morgssen, n'est-ce pas ?

C'te bonne bourre ! Comme si tu demandais à un Français de France s'il connaît le beaujolais !

— Oui, pourquoi ? doivent répondre les deux hommes.

— Pensez à lui et regardez-moi ! leur dit ma gonzesse d'amour.

Tout ça s'échange dans la pauvre langue d'Andersen, mais dans les cas aigus, je suis apte à saisir tous les dialectes.

Ils examinent Marika avec curiosité. Elle sait où elle va, la douce baiseuse. Tu comprends : elle était la compagne de Morgssen depuis des années et, à ce titre, défrayait la chronique mondaine de Copenhague. Combien de fois sa photo a-t-elle paru dans *Jour de Danemark, Copenhague Match, L.S.D.* et autres *Danemark-Soir* qui la représentaient dans des soirées au côté du brasseur de bière et d'affaires ?

Les mecs acquiescent et l'homme chauve sourit, comme on dit puis chez nous, dans le Bas-Dauphiné quand on veut vraiment se payer une pinte de bon sang.

— Oh ! *ja*, on vous reconnaît. Vous êtes Marika, la jeune femme qui dirige la Fondation Morgssen.

— Exact. Croyez-vous, messieurs, que je puisse m'acoquiner avec des tueurs à gages lancés aux trousses d'un de nos plus brillants physiciens ?

Son regard limpide, sa voix poignante, ses seins hardis, son galbe, sa carnation, tout les ceci-cela qui la transcendent sont irrésistibles.

— Bien évidemment non ! répond le frère pilote-chef.

— Alors, de grâce, messieurs, faites confiance à ce policier français qui n'hésite pas à courir d'énormes dangers et à dépenser son propre argent pour secourir Nicolaj Jakobsen. Je me porte garante de lui. C'est l'homme le plus merveilleux que j'aie rencontré.

Ainsi parla Marika.

Si bellement que des larmes m'en vinrent aux yeux, qui auraient fourni d'admirables stalactites si je m'étais trouvé dehors.

Le lieutenant Rendell a cessé de s'intéresser à nos problèmes. Il a sorti un sandwich pain de mie-jambon-tomate de sa poche, l'a débarrassé de sa cellophane protectrice et le gloupe énergiquement.

— Vous permettez ? nous dit le chauve.

Il saisit son frère par le bras et l'entraîne à, tu sais où ? L'écart ! Brève palabre qui fait des bulles puisqu'il y a cons s'il y a bulles.

Les Dupont-Dupont reviennent peu *after* avec un verdict de clémence.

— O.K., disent-ils, nous avons confiance en vous.

Un bruit étrange retentit, en provenance du burlin-gue du colonel Ferguson. On se croirait chez des lavandières portugaises. Ça fait des claques, ça pousse des cris. Le lieutenant Rendell a beau frapper, on ne nous prie pas d'entrer. Alors on en prend la décision.

Les trois occupants étaient effectivement trop mobili-sés par leur divertissement de société pour réagir à nos heurts. Vous avez le heurt, s'il vous plaît ?

Le whisky largement dispensé par l'officier supérieur a libéré Béru de ses retenues fragiles et, un baiser amenant une papouille et une papouille un geste plus hardi, il est tout bonnement en train de calcer son lot sur le bureau de Ferguson. L'Esquimaude a été dépiau-tée dans son hémisphère sud, peu à l'ordre du jour sous cette latitude ; messire Queue-d'Ane lui a révélé la position ad hoc à elle, habituée au haddock, c'est-à-dire : bras croisés sur le meuble, la pointe du menton placée dans le creux des mains jointes, le fessier offert à juste hauteur, les jambes en « V » renversé. Le seigneur de la tringle, module colosse, fourre cette fleur de banquise à la langoureuse, tandis que le brave pionard de colonel rythme la copulation en frappant son sous-main du bout de ses doigts et en scandant : « *One, two ! One, two ! One, two !* ».

Docile, le Majestueux obéit à ces injonctions militaires. L'ex Mme Ted le Rouge, gagnée par une félicité physique qu'elle ignorait, émet des cris de satisfaction dans une langue propre à faire dégoder des pingouins. Béru souque énergiquement, ayant assuré la prise de ses deux pognes plaquées sur les miches de sa partenaire.

— Ne soyons pas indiscrets, murmure Marika.

Sa Majesté a entendu. Toujours une oreille qui traîne, même dans les postures héroïques.

— Non, non, partez pas, mon p'tit cœur, lance-t-il aimablement, on va avoir fini en moins d'jouge. J'sens c'te brave bestiole qui décarre déjà au fade. Voiliez comme è pâme des meules ! Son dargif est tout en frissons ! C't'un signe qui trompe pas. Les gerces, qu'é soyent esquimaudes, françaises ou noirpiotes, leur façon d'prendre leur pied quand j'les oblitère, reste la même. On va amorcer le ronron, n'ensute les cris d'orfèvre, et puis médème balancera son bonheur.

« Mon colonel, sans vous commander, vous devreriez accélérer la manœuv'. Vous nous faites le moteur à deux temps, là ! Ça d'vient d'la brosse mécanique. L'instant est v'nu de piquer de mes deux. Faut qu'on va s'presser pour gagner l'canard dans les délais. Visez comme elle impatiente d'la moniche, c'te p'tite dame. Malgré mon chibrac surdimensionné, j'risque d'déjanter tant tell'ment qu'elle gabouille du trésor, ma Samso-Nyte. Holà ! Hep ! Tout doux, ma carne ! Putain ! Esquimaude, mais pas glaçon ! Elles sont pas frigidaires, les mères, dans ce bled de merde ! La v'là qu'envole, mon colonel ! Je peux plus la retiendre !

C'est le lâcher d'ballons ! Vas-y, Ninette ! T'es vergée français, ma gosse ! Pars, pars ! M'attends pas, tu vas rater la correspondance ! En voiture, ma poule !

« Colonel, arrêtez d'compter, bordel, ça nous troub' les zémois. Vous vous croiliez su' un terrain d'manœuve' ou quoi ? Cézigo, au lieu d'goder, y bat la mesure, ce nœud ! Chotope, mec ! Saïlence, plize ! Visez si é s'dessale, c'te morue. Ce dressage qu'on va l'entreprendre, moi et Berthe ! La rendre performante goût français ! J'la sens douée ! Question d'nature. Ces choses, c'est le con génital, tous les toubibs médecins vous l'direront. Une gnère, elle a des sens ou elle est nazée du fion. C'est elle qui fait ce grogn'ment d'ourse ? Oui, c'est elle. J'avais z'encore jamais entendu ça. Tout autre que ma pomme, il prendrait peur, v's'êt' bien d'accord ? T'as la sensation d'embroquer un fauve !

« Ça y est, l'a franchi la ligne d'arrivée ? Moui ! Oh ! l'impolie, maint'nant que c'est terminate pour elle ell' en veut plus ! Non, mais r'gardez-moi médème qui m'envoye promener du frifri. Ah ! les gerces, quel égoïsme ! J'te vas la mett' au pas, la gueuse ! Non, mais dis, pétasse, t'vas pas sevrer l'homme avant la fin d'sa croissance, des fois ! J'y fous un gnon, moi, bordel ! Qu'é reste en place pour mon opération porte ouverte. Marrez-vous tant que vous voudrerez, colonel, mais faut qu'ell' va m'essorer, c'te péquenode. C'est mauvais pour son équilib' d'se moucher av'c les doigts !

« Ça vous ennuiererait-il d'y filer un crochet au bouc, manière d'lui enrayer la décarrade ? D'où j'sus placé, j'ai pas mes aises pour l'aligner. Sana, soye gentil, place-lu une cacahuète au menton. Non ? T'es guère serviab', mec. Sous prétesque qu'tu t'fais r'luire comme un archiduc av'c ton prix d'beauté, tu laisses quimper les notes en difficultance.

« Bon, trop tard, ell' m'a échappé ! Faut qu'j' remballe ! Un matériel pareil, si c'est pas malheureux ! J'sais cent mille bougresses qui s'battreraient pour m'finir. Que mon Pollux est tout orphelin, à c't'heure !

J'ai l'air d'un éléphant debout su' ses pattes d'devant !
Vous voudrez qu'j'vous dise, mes amis ? La vie est pas
juste. »

Il remit son mandrin au chaud, se rajusta, et agitant
son index boudiné devant le visage camard de son
indisciplinée partenaire, il déclara :

— T'es tout à r'prend', la mère. Heureus'ment
qu't'es douée !

Vachement américain, comme appareil. C'est dérivé
du skidoo canadien, mais c'est beaucoup plus grand
puisque cela a une capacité de quatre personnes.
Imagine-toi un truc qui ressemble un peu à un bob-
sleigh à moteur. C'est monté sur chenilles, il y a deux
repose-pieds latéraux et, devant chaque place, un
arceau gainé de cuir pour se tenir. La place du
conducteur comporte un guidon de moto et la direction
est donnée par un large patin mobile. Tout à l'arrière,
une petite plate-forme avec des sangles pour servir de
porte-bagages. Cet étrange véhicule des glaces atteint
une vitesse de quarante kilbus heure. C'est pas superso-
nique, mais ça déménage déjà pas mal.

C'est notre pote, le lieutenant Rendell, qui pilote. Je
me tiens derrière lui ; ensuite viennent Marika et Béru.
Le gros lard de lieutenant, comme coupe-vent, tu ne
peux trouver mieux ! Je me tiens courbé derrière lui
afin de soustraire mon énergique visage à la cruelle
morsure du froid. L'engin pétarade comme une ton-
deuse à gazon et son boucan, répercuté par les montagnes de glace environnantes, semble retentir dans tout
le Groenland. On ne risque pas d'arriver en catimi-
nette, avec ça. Mais je préfère, pour une relativement
faible distance, ce mode de locomotion à l'hélicoptère
qui ne peut se poser n'importe où.

Rendell a bien étudié le tracé avant que nous
quittions la base de Thulé et drive sans coup férir. Faut
dire que les copains de l'hélico sont des gens précis,
habitués à l'inlandsis. Ils ont bien expliqué à notre
conducteur que les derniers igloos des Esquimaux les

plus septentrionaux, se trouvaient groupés au pied du glacier de Humboldt, soit à quelque quatre-vingts kilomètres de Thulé. C'est là qu'ils sont allés déposer Jakobsen avant de rallier la base pour procéder aux réparations que réclamait leur coucou.

Maintenant, étant donné que t'as commis l'imprudence d'acheter cet ouvrage d'exception, il me faut éclairer ta lanterne à propos des deux frères pilotes et de Jakobsen. Sache, ô mon lecteur si confiant, mon ami, mon confident, mon fident, oui, sache bien en combattant que ces hommes sont les cousins germains de Nicolaj. Lorsque Jakobsen a eu son Prix Nobel, il leur a prêté de la braise pour leur permettre de s'établir. Ils ont donc non seulement l'esprit de famille, mais une dette envers lui.

Voici une quinzaine de jours, Jakobsen leur a téléphoné de Copenhague pour leur dire qu'il allait avoir besoin de leur concours précieux afin de mener à bien une mission délicate intéressant la sécurité de l'Etat. Il leur demandait de se tenir prêts à le conduire dans le nord du pays et à recevoir ses directives en temps voulu. Il leur demandait aussi de se munir d'une quantité de dynamite suffisante pour faire sauter un glacier de cent mètres cubes et, surtout, de taire leurs gueules.

Les cousins ont répondu banco. C'est des gonziers à toute épreuve. Pas le genre mazettes. Des types que tu peux leur tripoter la couille gauche sans faire bouger la droite, si je me fais bien comprendre. Ils ont fait des calculs, acheté trois caisses de bâtons de dynamite avec des centaines de mètres de cordon et ont attendu des nouvelles du cousin. Nicolaj les a appelés de Jakobshavn peu avant son départ en traîneau, et c'est alors qu'ils ont établi un plan de récupération sur l'inlandsis dans la région d'Upernavik.

Tout s'est déroulé comme prévu et ils ont piloté leur turbulent parent au pied du glacier de Humboldt, dans cet ultime habitat de l'homme en direction du pôle, composé de quelques igloos, survivance des temps anciens, où végètent des êtres primitifs qui ne subsistent que par la chasse ou la pêche.

Ils l'ont déposé parmi ces gens qui semblaient le connaître, avec ses trois caisses de dynamite. Ils lui ont demandé quand ils devaient revenir le rechercher, mais Jakobsen leur a déclaré qu'il pensait séjourner longtemps à Tupuduk, et qu'il valait mieux l'oublier jusqu'à nouvel ordre.

T'as suivi ? Pigé ? Pas de questions ? T'es sûr ? Faut pas te gêner, surtout. Je sais ce que c'est qu'un con. Pas la peine de faire semblant d'être intelligent, personne ne te croirait. Non, tout va bien ? Enfin bon, c'est ton problo.

Nous traçons sur la glace. Par instants, le véhicule décrit une embardée qui nous fait remonter l'estomac dans la gorge, mais vaille que vaille, nous fonçons en direction de Jakobsen l'insaisissable ! De Jakobsen, le mystérieux.

Il va tirer une de ces bouilles en nous voyant ! Au moment des explications, il criera à la trahison des cousins ! Les réputera fratricides.

Une luminosité aveuglante fait scintiller les arêtes des glaciers. On trace en soubresautant et louvoyant. L'engin diabolique me fait penser à ces boudins de caoutchouc sur lesquels se juchent des baigneurs et que tire un canot sur les flots de la grande bleue (d'Auvergne).

Et puis, nous obtenons notre récompense. Comme dans « Madame Mouchabeurre », une fumée s'élève à l'horizon. Comme il ne saurait s'agir d'un conclave en ce point du globe, j'en déduis que nous atteignons Tupuduk. Et c'est vrai !

Il n'est pas question d'un bourg, même pas d'un lieu-dit. Simplement d'une poignée d'individus fixés ici et dont on se demande comment, à notre époque, des êtres humains peuvent s'obstiner à exister et à se perpétuer en un coin pareillement inhospitalier. Faut-il que l'homme ait l'esprit biscornu. Faut-il qu'il soit attaché au point d'ancrage de ses aïeux ! Faut-il qu'il ait du courage pour braver les pires conditions de vie et réussir à s'y maintenir. Assurer leur subsistance, tirer un coup, quoi d'autre pour leur servir d'idéal ?

Les dômes des igloos font penser à des taupinières. Près de chacune d'elles, on aperçoit des sortes de petites tentes en peaux de phoques qui tiennent lieu de resserres. Des chiens hargneux se précipitent à notre rencontre en grondant férocement. Le bruit pétaradant de notre moteur les tient à distance, mais on devine que, sitôt le contact coupé, ces demi-fauves se jetteront sur nous.

Des Esquimaux, alertés par le remue-ménage, surgissent. Les hommes portent des vestes de fourrure, les femmes d'épaisses robes avec des bustiers en peaux de zobi. La marmaille morveuse arbore des lainages de couleur. Tout le monde est cradingue, avec des sourires pourris, des yeux très noirs, curieux et craintifs. Une odeur d'huile rance, de poisson fumé, de bidoche décomposée flotte sur l'agglomération.

Les hommes rappellent leurs chiens et leur savatent le cul pour les éloigner de nous. Lorsque le danger semble jugulé, le lieutenant Rendell coupe les gaz et nos portugaises prennent des vacances.

— Ouf ! déclare Marika ; je suis moulue.

On se désarçonne, se redresse avec les cannes en coton, flageolantes. Les vibrations du traîneau-chenillé continuent de nous faire trembiller viande et muscles.

— Parlez-vous l'esquimau, Marika ?

— Quelques mots seulement, mais ils doivent comprendre le groenlandais.

Fectivement, elle s'adresse aux hommes et la communication semble s'établir entre elle et eux.

— Demandez-leur où est Jakobsen ! l'engagé-je.

— C'est ce que je viens de faire : ils prétendent ne pas savoir de qui je parle.

— Très bien.

Je me place au milieu du rond-point ménagé parmi

les igloos et qui tient lieu de « place du village », et je crie :

— Mister Jakobsen ! Montrez-vous sans crainte. Je suis un ami du Français qui vous a secouru à Tivoli Park !

Ma voix mâle porte loin dans l'air tranchant. Le fugitif ne se montrant pas, je reprends :

— Ce sont vos cousins Stroget qui nous ont révélé que vous étiez ici. C'est la preuve qu'ils ont eu confiance en nous ! Soyez sans crainte, nous venons pour vous aider.

Mais toujours rien.

— Votre gars aura déjà mis les voiles, soupire le lieutenant Rendell. En attendant, il va nous falloir passer la nuit ici. Le soir tombe déjà et il est impossible de circuler sur l'inlandsis dans l'obscurité, vous avez pu constater combien le sol est redoutable.

Je ne réponds rien. Je voudrais consulter Marika afin de lui demander ce qui se passerait si nous nous mettions à explorer chaque igloo pour essayer d'y dénicher Nicolaj. Comment les autochtones réagiraient-ils ?

Mais ma tendre amante est en grande converse avec une petite fille. Elle a dégagé un clip fantaisie fixé à son manteau de renard et le lui propose avec un beau sourire apprivoiseur. M'est avis qu'elle est en train d'entreprendre la gosse pour lui faire cracher la vérité. Tu veux parier ?

Je ne pense pas plus loin. Un cri d'angoisse me fissure le larynx :

— Béru !

Ecoute ce que je vais dire, Casimir. Béru n'est plus là ! *On l'a paumé en cours de route !* Se trouvant en queue de boudin, il aura perdu l'équilibre lors d'une cabriole de l'engin et aucun de nous ne s'est aperçu de ce délestage intempestif.

— *My friend !* glapis-je à l'adresse de Rendell.

— Eh bien quoi, votre ami ?

— Nous l'avons semé pendant le voyage !

Il cesse de mastiquer la sucrerie au miel et amandes qu'il était en train de claper.

— *My god! Oh! my god!* balbutie l'officier boulimique. Sy god nous a joué un sale tour! Et au Gravos, donc! Je l'imagine, inanimé sur la banquise, raidi par le froid, mon Béru.

— Il faut partir à sa recherche! écrié-je.

— Impossible, fait Rendell en montrant le ciel qui s'est obscurci à toute pompe. Nous ne retrouverons pas nos traces : je n'ai pas de phares. Et quand bien même j'en aurais, ils seraient insuffisants, je vous le répète.

Je me précipite vers Marika. Celle-ci est souriante et m'adresse un clin d'œil complice.

— Jakobsen est dans le quatrième igloo en partant de la droite, chuchote l'Exquise.

Il s'agit bien de Jakobsen!

— Nous avons perdu Bérurier en cours de route, fais-je, et Rendell assure qu'il est impossible d'entreprendre des recherches de nuit. Il va mourir, si ce n'est déjà fait! Vous ne vous êtes rendu compte de rien?

Ma chère maîtresse réfléchit.

— Maintenant que vous me le dites, je me souviens qu'après le passage d'un dos-d'âne qui a failli me faire choir, j'ai trouvé notre bolide plus véloce. J'ai cru que cela provenait de la qualité du sol.

— Cela s'est passé loin d'ici?

— Oh oui, assez.

— Vous ne vous êtes jamais retournée?

— Vous non plus, Antoine. Nous avions grand besoin de mobiliser toute notre attention pour rester en selle sur ce véhicule du diable!

C'est tellement vrai que je ne trouve rien à rétorquer.

— Rendell, fais-je, vous allez me prêter cet appareil. Il est impossible que je ne fasse rien pour tenter de récupérer mon ami.

Le gros baffreur secoue ses bajoues.

— Des clous, mon vieux! J'en suis responsable. D'autant que le colonel Ferguson me l'a confié sans en référer au général Teksmock, le big boss du camp. En outre, le réservoir d'essence possède une autonomie permettant d'assurer l'aller et retour du camp à ici, mais guère davantage. Si vous partiez en vadrouille, vous suceriez ce qui reste de benzine et vous ne seriez même pas foutu de revenir ici ou de gagner Thulé.

Cette contrée, c'est pis que le Sahara. Pour s'y repérer, il faut la connaître comme je la connais après quatre ans de séjour dans cette chirie de congélateur ! »

— Mais on ne peut...

Il aboie :

— Si, mister Antonio, on peut ! Et on va le faire ! Ce n'est pas ma faute si votre face de cul a décroché. Je ne compromettrai pas d'autres existences pour tenter de le retrouver car c'est im-pos-sible ! En mer, quand un connard de plaisancier passe par-dessus son bord, à la nuit on stoppe les recherches, oui ou non ? Ici, c'est comme sur la mer. C'est pire que sur la mer ! Demain, au lever du jour, nous repartirons et si nous ne le récupérons pas, en rentrant, j'enverrai des hélicos pour survoler cette belle pelouse ; eux, oui, le retrouveront, du moins ce qu'il en restera. Navré de vous peiner, mais selon moi, votre gugus est déjà zingué, mon vieux. Le fait qu'il n'ait rien dit en chutant prouve qu'il a été estourbi, voire même qu'il s'est craqué les cervicales. Or, si vous restez plus d'une heure étendu dans l'inlandsis sans remuer, vous devenez dur comme une bite de taureau en train d'astiquer une vache.

— Mon pote est un costaud bâti à chaux et à sable qui en a vu d'autres ! plaidé-je.

— D'autres peut-être, mais pas l'inlandsis !

Je me prends la tête à deux mains. Je voudrais pouvoir me glavioter. Un instant, je caresse l'idée de m'emparer du traîneau par la force, pour partir. Un regard à l'immensité lunaire qui nous environne me permet de mesurer l'inanité du projet. Maintenant il fait à peu près nuit. Seule, une clarté s'attarde au sommet du glacier Humboldt, si précaire qu'elle rend

plus intense la désespérance ambiante. Salaud de
Jakobsen à cause de qui sera mort Bérurier.

Rendell, touché, se fourre une nougatine dans la
clape et pose la main sur mon épaule.

— Quand je vous dis que je suis navré, mon vieux, il
ne s'agit pas d'une simple formule. J'en ai sec d'avoir
perdu votre copain ; d'autant que ça m'avait l'air d'un
brave bonhomme.

Marika joint ses effusions à celle de Rendell.

— Je sais que c'est terrible, mon amour, murmure-
t-elle, mais puisque nous touchons au but, il faut
continuer.

PARCE QUE TU T'IMAGINES
QUE C'EST FINI, TOI ?

Dans le quatrième igloo règne une obscurité d'autant plus pénible qu'elle s'accompagne d'une odeur nauséabonde. Toujours cette puanteur de tannerie et d'huile rance qui est le lot des Esquimaux.

Une très vieille femme édentée est accroupie au coin d'un feu de cheminée, marmonnant des prières ou des présages. Marrant d'habiter une maison de glace. Plus marrant encore qu'il y fasse chaud. La vioque doit être aveugle car son regard est complètement blanc.

Je m'avance, escorté de Marika pour examiner l'intérieur de cet antre. C'est toujours le même topo : le coin du feu, une table centrale avec des sièges d'infortune, et puis, tout autour, un amoncellement baroque de fourrures, de hardes, de couvertures. Je vais jusqu'au tas de fourrures et me mets à les déplacer, aidé de ma merveilleuse.

Franchement, le cœur n'y est pas. Cette fois, je t'avouerai qu'il me bat les burnes, Jakobsen. Tout ce bigntz infernal pour un gars qui ne le mérite sûrement pas. Mon Béru perdu dans l'immensité mortelle de l'inlandsis, sous la lune glacée… Et moi, sur le toit du monde, dans une hutte de glace où cela sent la merde, la sanie et la mort !

J'arrache ces pelures d'animaux avec rage. Sale con qui se planque là-dessous ! Au lieu de lui sauver la mise, j'ai plutôt envie de le tabasser, à présent, l'insaisissable Nicolaj !

J'envoie valdinguer une peau d'ours, et subitement il est là, notre lascar. Oh ! pas flambard le moindre. Tout recroquevillé, tout apeuré, hâve et maigre, inrasé, le regard enfoncé loin dans le crâne, les lèvres blanches, fiévreux dirait-on, au bout du rouleau. Mon cœur qui bouillonnait de rancune se serre quand je le contemple. Ce qu'il vient d'en baver, ce mec. Je suis un compassif ; on ne se refait pas. Il est à l'extrémité de la détresse, le protégé du vicomte Hugues Capet. Des semaines qu'il lutte pour sa vie. Qu'il fuit, se terre, tente coûte que coûte d'échapper à ses tourmenteurs. Cette fois, il atteint le terminus. Il est en proie à la pire des choses : la résignation. Il commence à se désintéresser de son sort. Et alors, Agénor, lorsqu'un mecton en est là, c'est la fin des haricots. Il commence de couler à pic.

Sous cet amoncellement de peaux, il étouffait ; en tout cas ne pouvait percevoir mes appels.

— N'ayez pas peur, Jakobsen, lui dis-je, nous ne voulons que vous aider.

Je fais un signe à Marika et elle se met à lui parler dans sa langue. Probable qu'elle lui résume la situation. Que peut-elle lui dire d'autre ? Il écoute en battant des cils. C'est un gars châtain, avec la frime de Van Gogh, le menton pointu, les arcades sourcières (selon Béru) proéminentes. Le regard clair est assombri par l'ombre de cet auvent naturel. Sa barbe lui donne un air de Christ qui crierait pouce en montant au calvaire.

Il écoute ma fée d'amour, les yeux fixes. Sa pomme d'Adam a des soubresauts. Tu jurerais qu'il a avalé une souris vivante et que ça ne peut pas passer.

Quand Marika se tait, il fait un vague signe d'acquiescement. Jusqu'alors il n'a pas proféré un son.

— Vous lui avez tout dit ? demandé-je.

— Oui, tout. Il me semble qu'il me croit.

— Demandez-lui ce qu'il fabrique ici. Est-il seulement venu s'y planquer ?

Elle traduit.

Jakobsen répond en anglais pour me permettre de comprendre en direct :

— J'ai une tâche à accomplir.

— Quelle tâche ? lui dis-je.

— C'est mon problème.

— Une tâche qui nécessite trois caisses de dynamite ?

— Oui.

— Où avez-vous foutu vos pétards ?

— Enfouis dans la glace, derrière l'igloo.

— Vous voulez faire sauter quoi ?

— C'est mon problème.

— O.K., c'est votre problème. Mais après l'explosion que vous envisagez, quel sera votre programme ?

— Demeurer ici un certain temps.

— Qu'appelez-vous un certain temps ?

— Plusieurs mois, un an peut-être.

— Pour vous faire oublier ?

— Exactement.

— Donc, en espérant vous aider, nous vous compliquons les choses ?

— Je le crains.

— Vous ne voulez pas vous confier à nous maintenant que nous sommes ici ?

— Je préfère pas.

— On dirait que vous êtes connu dans cet endroit perdu, non ? On vous y accueille, on vous cache, on vous protège.

— Les Esquimaux sont très hospitaliers.

— On me l'avait dit, mais à ce point, chapeau ! Vous avez déjà séjourné dans cette contrée perdue ?

— C'est mon problème.

Son leitmotiv, à Césarin. Quand une question l'embarrasse, il ferme le guichet.

J'ai soudain un rire mauvais. Satanique, tu sais ? Faust ! Ha, ha, ha, ha !

— Si vous saviez tout ce que je viens de faire pour vous. J'ai buté des tueurs qui vous coursaient, brûlé une partie de mes économies et probablement perdu mon meilleur ami dans l'inlandsis, tout cela à cause de vos problèmes.

— Je vous remercie, mais je ne vous avais rien demandé !

Ils sont commak, les hommes. Un monument d'ingratitude. Tous dégueulasses à t'en faire vomir ton âme.

— C'est juste, monsieur Jakobsen, vous ne m'avez rien demandé.

Je ne vais pas plus avant dans mes rancœurs car un ronron de moteur se rapproche. Et ça, espère, c'est encore un hélico à la clé ! J'ai un élan d'allégresse. Sottement, je me dis qu'il s'agit peut-être de Ricains en patrouille qui auraient aperçu mon Béru et qui me l'amènent.

Je sors. Fectivement, un grand coucou blanc se pose à cent mètres des igloos. Il a un projo sous le ventre qui lui permet d'éclairer le sol.

Le lieutenant Rendell bondit vers moi.

— Hello, Antonio ! Ce ne sont pas des gars de la base ! On devrait ouvrir l'œil.

Son avertissement me biche au débotté. D'un geste sec je dégage le feu prélevé sur l'une de mes « victimes » de Jakobshavn et le place dans la poche de ma canadienne.

Ils sont six mecs à sauter de l'hélico. Tous vêtus d'une combinaison blanche et d'un bonnet de fourrure. Chacun d'eux est muni d'une mitraillette. Pas de doute : il s'agit d'un commando de choc et j'ai idée qu'il va vaser des bulles carrées avant longtemps. Décidément, ces braves Esquimaux de Tupuduk qui ne bénéficient pas de la télé, ont tout de même du spectacle pour animer leurs soirées d'hiver.

Le corps expéditionnaire s'avance en arc de cercle vers la peuplade. Un septième lascar reste à bord de l'appareil, assis dans l'encadrement de la porte, les jambes pendantes.

Ils ont allumé les phares de l'hélico, ce qui éclaire à giorno l'embryon de village.

Je regarde les mecs en armes se développer dans notre direction. La population esquimaude ne sait plus sur quel pied danser. D'ailleurs, danser sur de la glace peut être dangereux.

Je me dis dans ma belle langue d'intellectuel : « On l'a dans le fion, Gédéon ! Cette fois, c'est la fin des haricots. » Sans doute ont-ils retrouvé leurs messagers que j'ai sulfatés de première à l'hôtel de Jacobshavn, et nous ayant recollé au train, ont-ils décidé de nous suivre jusqu'à ce que nous ayons rejoint leur client. Ça va être l'hécatombe finale, les gars ! Le feu d'artifice sur la banquise !

Un qui me la coupe, c'est le lieutenant Rendell... Pas froid aux châsses, le gus ricain. Tu sais quoi ? Il dégaine son pistolet et s'avance vers les guerriers blancs en hurlant :

— Qu'est-ce que c'est que ce cirque de merde ? Vous croyez nous impressionner ?

Une rafale de mitraillette lui coupe le sifflet et les jambes. Rrrrrâââ !

Il s'écroule en poussant un grand cri à la con, mais dans ces cas-là, on te pardonne tes fausses notes. Son sang gicle et il geint, le pauvre mec. Pas d'erreur, on a affaire à des lascars déterminés.

Moi, tu me connais ou non ? Or, si tu me connais, tu dois t'attendre à quelque chose de ma part, n'est-ce pas ?

Je recule jusque dans l'igloo.

— Jakobsen, je vais essayer de les retenir le plus possible, tâchez de trouver des vêtements de femme dans ce capharnaüm et enfilez-les *quickly*.

La recette vaut ce qu'elle vaut ; même si tu la trouves conne, un peu vieux ciné, elle est préférable à l'inertie. Le commando a enjambé Rendell et continue d'avancer avec lenteur et précaution. Les habitants de l'urbanisation sont pétrifiés. De mémoire d'Esquimau (ou Eskimo) on n'avait pas vu une chose aussi inouïse. Ces hommes blancs tombés du ciel qui sèment des bastos avec indifférence, c'est du domaine de l'irréalité, ça.

Le gros Rendell a cessé de vagir. Est-il mort ou simplement évanoui ?

Pour ma part je m'abstiens de broncher. Marika me chuchote :

— Ils viennent pour Jakobsen ou pour nous ?

— Pour tout les trois, réponds-je.

Toujours est-il qu'ils ont la technique. Maintenant que les voilà dans le village, ils ont modifié leur tactique. Deux restent en position de flingage au milieu du terre-plein, pour neutraliser la maigre population. Les autres forment deux groupes de deux et se mettent à visiter les igloos.

Ce qui est surtout impressionnant c'est qu'ils ne parlent pas ; même entre eux, ils n'échangent aucune parole. La mission a été préparée à l'avance et chacun exécute son boulot consciencieusement. Il est bien évident que c'est Nicolaj qu'ils recherchent.

Je souffle à Marika :

— Ils vont nous questionner pour savoir où est Jakobsen. Je ferai la forte tête, mais vous, après quelque résistance, vous leur direz qu'il s'est enfui en direction du sud. Vu ?

— O.K., chéri.

Tiens, ç'aurait pu donner le titre de cette merveille littéraire ! *O.K., chéri !*, c'est simple et de bon goût.

Je mate dans l'igloo. Mon conseil a été suivi. A présent, il y a deux vieillasses au coin du feu. Je te jure qu'il a des dons, le physicien ! C'est le Frégoli des glaces. Il s'est passé de l'huile de morue sur la gueule, ce qui donne une luisance jaunâtre à sa frime. Il porte une coiffe noire ornée de perles et sa casaque de fourrure dissimule son début de barbe. La vraie vieille heureusement est aveugle et reste sans réaction.

Maintenant un tandem d'envahisseurs parvient à notre niveau. L'un d'eux palpe mes fringues, trouve mon feu et le glisse dans une espèce de giberne de toile cirée qu'il porte sur le côté. Son compagnon pénètre dans l'igloo. Il contemple les deux « femmes », puis va sonder l'amoncellement de nippes et de fourrures. Ne trouvant rien, il ressort. Les deux hommes nous poussent vers le centre de l'espace vide, là où se tiennent les deux factionnaires. Toujours silencieux !

Les deux gars nous font signe de nous allonger à plat ventre sur la glace. Etant obéis, ils vont poursuivre leurs investigations. Mais l'exploration des igloos se termine et, bien entendu, ces messieurs sont bredouilles.

Cette fois, ils rompent leur politique du silence pour se rabattre sur nous. Le chef supposé du coup de main, l'un des deux hommes qui restaient en surveillance, s'adresse à moi en anglais :

— Où est Jakobsen ?

— Qui ça ? fais-je.

Au lieu de réitérer sa question, il m'allonge un coup de tatane dans les côtes. Mes poumons se vident et me voilà la gueule béante comme la plus moche gargouille de Notre-Dame de Paris.

En attendant que je récupère assez d'oxygène pour pouvoir assumer un brin de converse, c'est Marika qu'il interpelle :

— Où est Jakobsen ?

— Je n'en sais rien !

Ce fumier lui notifie sa réprobation par un second coup de tatane qui fait hurler la pauvrette.

Il débretelle sa mitraillette et, la tenant d'une main, enfonce l'extrémité du canon entre mes chères omoplates.

Moi, franchement, il me semble que ma vie pourrait fort bien s'arrêter là car ce mec presse une détente comme toi un citron. D'ailleurs c'est lui qui, naguère, a défouraillé sur le lieutenant Rendell.

J'imagine qu'il va me dessouder en lâchant tout le contenu de son magasin. Ça produira dans mon dos musclé un trou grand comme une assiette à dessert et alors Félicie n'aura plus de grand garçon à qui confectionner des « blanquettes de veau », des « oiseaux sans tête », des « gratins de cardons à la moelle », des « œufs en meurette » et mille autres petits plats de chez nous dont je raffole. Et tu me diras pas que c'est louftingue de se mettre à penser bouffement quand on a, au beau milieu des endosses, le canon noir d'une mitraillette perfectionnée. Comme quoi, les hommes, on est franchement une bande de tordus, non ? Imprévisibles dans nos réactions intimes.

Cela dit, moi, dans les moments désespérés, j'ai illico une pensée ardente pour ma Féloche bien-aimée. C'est mon petit Jésus à moi, m'man. Mon ange gardien. Je te parie ta couille gauche contre un pot de rillettes qu'en ce moment, dans sa cuistance, son instinct maternel se met à carillonner comme un passage à niveau avant l'arrivée du train. Y a alerte générale dans son sub, ma vieille. Elle prémonitionne que je suis dans la gadoue la plus épaisse. Et ça regimbe dans sa belle âme. Alors, le doux Bon Dieu, saisi de pitié, Il se dit qu'Il va m'accorder un petit sursis de mieux.

Le belligérant fait à Marika :

— Je vous laisse dix secondes pour me dire où est Jakobsen, sinon je tue ce type.

Et elle, la lumineuse amante, de crier :

— Non ! Non ! Pas cela. Je vais vous dire...

Et vite, elle déballe son mensonge joli, comme quoi quand leur hélico a commencé de descendre, Jakobsen s'est emparé d'une fourrure et d'une morue salée et a filé vers le sud.

Elle le dit en haletant, et ça, mon vieux, même un usurier écossais le croirait, tellement qu'elle fait authentique, ma Jolie Jolie.

Le type jacte à ses potes. Et alors je reconnais du Russe. Je parle pas la langue de Dostoïevski et je le regrette parce qu'elle est très belle, mais du moins je sais la reconnaître.

Ce qu'il bonnit, je l'ignore. Ça doit concerner des recherches à entreprendre à bord de l'hélico, lequel est doté d'un projecteur ventral. Ce ne sera pas dur d'explorer l'inlandsis. Pour se planquer sur ces étendues couleur perle, faudrait être une souris blanche, et encore bien s'enfoncer le museau rose dans le prose !

Le gars se tait tout à coup.

La parole lui est coupée par une forte explosion. Tu sais qu'une détonation, dans ces immenses contrées désertes, ça n'en finit pas de rouler d'échos en confins, jusque dans d'autres galaxies.

On regarde : l'hélico est en flammes. Le zig qui s'y tenait assis est tout déchiqueté. Youyouille, ce travail !

Les guerriers blancs bondissent vers leur zinc. Mais ça crame si fortement qu'ils peuvent déjà plus s'en approcher. Je crois piger ce qui s'est passé, André. Un cadeau du lieutenant Rendell. Ce malin, malgré ses cannes cisaillées par la rafale, s'est traîné jusqu'au coucou. Il devait avoir une grenade sur lui parmi ses sandwichs et autres sucreries, qu'il est parvenu à balancer par-dessus le pilote assis dans l'encadrement. Maintenant, le réservoir d'essence explose ! Un monstre brasier illumine le village esquimau. On voit la carcasse de l'hélico dans une flamboyante apocalypse pourpre, se tordre et se disloquer. Les flammes dansent haut dans le ciel noir.

Les Russkoffs gueulent comme après une vodka party. Tu les verrais s'agiter devant l'incendie, trépigner, sacrer, presque s'entre-battre, ça t'amuserait.

Je distingue le gros corps de Rendell sur la glace. Des flammèches lui sont tombées dessus et il crame, le brave ami. Sa tignasse, ses fringues, puis sa belle graisse américaine en calories toc brûlent fort et haut.

Marika pleure. De la voir craquer enfin me réconforte. Elle est femme, malgré son courage indomptable. Je pose la main sur elle.

Ma bouche assoiffée de ses lèvres (comme l'écrit Marguerite Quirase dans son superbe roman titulé « Petites salopes en jupettes ») les trouve et les écrase en un baiser passionné qui ferait mouiller une serpente boate.

« Pas le moment ! » ricaneras-tu, mon con ? Toujours le moment ; même et surtout si c'est le dernier que nous vivons ! Nos langues s'en mêlent, nos membres s'emmêlent.

Ah ! l'effarement des Russes en nous voyant enlacés, rivés l'un à l'autre ! Ça la leur sectionne au ras des parties.

Ils conseillent de guerre. Marika tend l'oreille.

— Tu comprends aussi le russe ? bée-je.

— Bien sûr. Ils sont salement embêtés car leur radio a été détruite avec l'hélicoptère. Ils pensent repartir au lever du jour avec notre skidoo. Ce qui les consterne le plus, c'est de ne pas pouvoir rechercher Jakobsen. Ils craignent de se faire sanctionner par leurs chefs et se voient déjà transférés du côté de Vladivostok ; il faut reconnaître que, comme mission ratée, on ne fait pas mieux.

Elle continue d'écouter.

— En tout cas, ajoute-t-elle, ça va nous fournir un répit.

— Pourquoi ?

— Comme ils n'ont personne d'autre à montrer, ils vont nous emmener avec eux.

— Nous ne pourrons jamais tenir à huit sur l'engin de ce pauvre Rendell !

— Ils en discutent, justement. Je crois qu'une partie d'entre eux restera sur place et un autre hélico viendra les chercher par la suite.

Je songe que la situation est désespérée et grave, contrairement à celle de la belle Italie où elle est désespérée mais pas grave. Béru perdu et sûrement déjà mort, Marika et moi interceptés pour subir un traitement final pas piqué des vers... Seul point de satisfaction : il semblerait que le gars Jakobsen ait traversé les mailles du filet. Mon idée toute bête de le faire se travestir en femme est passée comme une lettre délivrée par coursier (vu que les postes, de nos jours, hein, tu m'as compris, tu m'as ?).

Et aussi je ne suis pas mécontent que l'héroïque lieutenant Rendell ait carbonisé l'hélicoptère de nos agresseurs. S'il n'avait eu ce sursaut, les hommes en blanc m'auraient déjà scrafé.

Peu embarrassés de convenances, les envahisseurs

libèrent un igloo en en chassant ses habitants à coups de lattes dans le baba ; ensuite ils nous y font pénétrer et nous ligotent. Trois d'entre eux resteront en notre compagnie, tandis que les trois autres monteront la garde, dehors, près d'un brasier que les Esquimaux auront à charge d'entretenir. Je suppose qu'au milieu de la nuit, ils permuteront.

De toute manière, c'est pas mes bulbes, hein ?

— Chéri, chuchote Marika, vous est-il arrivé de vous sortir de situations aussi compromises ?

— Je ne fais que cela depuis des lustres, ma belle âme.

— Donc, vous ne perdez pas espoir ?

— Vous voulez dire que je ris !

C'est marrant, nos relations, Marika et mézigue. Tantôt on se tutoie, et tantôt on se vouvoie, selon la qualité de l'instant. Franchement, j'aurais bien aimé la montrer à Félicie, cette dame. Juste avoir l'avis de ma vieille, si primordial, si infaillible. Quelque chose me dit que ma nouvelle conquête l'aurait intimidée mais qu'elle lui aurait plu. Elle aime les femmes énergiques, Féloche, surtout quand elles idolâtrent son grand garçon !

Vaincu par la fatigue, je finis par m'assoupir, lové contre Marika. « Soldat love-toi, soldat, love-toi bien vite. »

Généralement, je suis porté à te raconter mes rêves, mais là je renonce, pas avoir l'air de tirer à la ligne. Sache seulement, Fernand, que je suis arraché des brumes par une nouvelle explosion, plus formidable que la première.

Les trois lascars qui roupillaient plus ou moins dans la touffeur de notre igloo bondissent sur leurs pieds d'abord, sur leurs armes ensuite, et sortent précipitamment.

Dehors, ça hurle à la mort. Y a des appels, des galopades. Putain d'Adèle, faut absolument que je mette mon grain de sel.

— Je vais me remonter de manière à ce que vous puissiez atteindre les liens de mes poignets avec vos jolies quenottes bien affûtées, *darling*. Vous imaginerez la suite ?

Tu parles. Une frangine comme elle, c'est mieux que la boîte à outils géante du B.H.V. Te me sectionne la corde qui m'entrave comme s'il s'agissait d'une peau de sauciflard ou d'un cordon ombilical ! Ouf ! me voici les mains libres. Elles sont engourdies, mais en les frottant contre mes fringues je rétablis la circulation. En deux coups les gros je peux alors dégager mes chevilles.

A la petite, à présent !

Ces pafs volants m'ont laissé mon couteau. Cric, cric ! Comme c'est la seule arme dont je dispose, je la conserve en main, prêt à en user si le cas échéait.

Je réalise un peu ce qui vient de se passer en coulant mon physique de théâtre dans la froidure nocturne. Les trois veilleurs gisent, ensanglantés, autour de leur brasier. Et bibi, d'une intelligence nettement au-dessus du niveau de la merde, de tirer du carnage la seule interprétation qui lui convienne.

Je t'ai dit que la population du village était chargée d'alimenter le feu permettant aux trois hommes de surveiller les igloos ? Ils constituaient régulièrement une réserve de bois (cette rare denrée) à quelques mètres du foyer, réserve dans laquelle les guetteurs puisaient lorsque le combustible commençait à se tarir. Je suis tout disposé à te parier une pomme de discorde contre une poire à lavement que le brave Jakobsen est allé récupérer en loucedé quelques bâtons de sa dynamite, qu'il les aura planqués entre deux planches et fait déposer parmi le bois d'entretien. L'un des veilleurs, à un moment donné, les a jetés au milieu des flammes, et alors, Victor, tu juges du résultat !

A *first* vue, je constate qu'un des blessés à un trou dans le ventre, qu'un second a une gambette arrachée, tandis que le troisième est occupé à défunter d'une plaie béante dans le visage.

Affolés, leurs potes s'activent autour d'eux. Ils gueulent pour réclamer des pansements, de l'eau oxygénée ou autre thérapie qui fait merveille dans les cas de membre arraché ou de ventre ouvert. L'Antonio joli jubile malgré son bon cœur proverbial. Il se dit que les circonstances ont ouvert à deux battants les portes du salut et qu'il s'agit d'en profiter.

Mon œil de vrai faucon enregistre un détail pernicieux : l'un de nos trois veilleurs a déposé sa mitraillette à côté de lui sur la glace. Il est agenouillé devant l'un des blessés et lui prodigue des paroles, faute de mieux. Je mesure la distance qui nous sépare : dix mètres zéro quatre. En quatre bonds, Gaston, je peux me présenter à l'appel.

Je fonce. Mais l'homme, un mec exercé, m'a entendu, et cramponne sa rapière (Sarah-Pierre). Il se dresse au moment où me v'là, Nicolas. D'une formide bourrade je le balance à dache et il tombe le cul dans le brasier. Marlon Brandon ! Sainte Jehanne d'Arc, priez pour lui ! Cette clameur, madoué ! Ses fringues en chlorure de stroumfovitch dépassé s'entorchent illico.

Un de ses potes qui a réalisé la tragédie, avant que de lui porter aide, veut se débarrasser du trublion que je suis. Dans un éclair j'avise l'ami traillette braquée sur ma poitrine. Plus le temps de rien faire.

Un coup de feu claque !

Et tu me croiras ou bien tu iras vite vite te faire cuire des gaufres, mais c'est le gonzier qui s'écroule. Un flot de sang gicle de sa gorge sectionnée. *Bye-bye*, sa carotide ! Les carottes sont cuites. Le dernier des julots encore en état de marche et qui tenait l'éjambé dans ses bras, ne sait plus à quel dessin animé se vouer. Il n'a pas le temps de gamberger car une seconde bastos vient lui obstruer l'oreille gauche jusqu'au cervelet.

— Ah ! merde ! Vous me la copierez ! fait un énorme bonhomme Noël en s'avançant, un feu (tiré de sa hotte) en paluche !

Je reste pétrifié par la stupeur :

— C'est toi, Gros ?

— Et qui veux-tu qu'ça serait, Duglandin ?

Il fulmine :

— Av'c vous aut' c'est pas la colonie d'vacances !
J'me farcis au moins vingt bornes à pincebroque su' la
glace, rêvant d'un grand coup d'gnole dans un bol
d'café chaud. Et n'à peine arrivé, faut qu'j'défouraille
su' du monde qu'j'connais pas, av'c mes pauv' doigts
gourdes. On peut dire qu'j'sus pas rancuneux. Parce
que me laisser quimper comme un Tampax en pleine
banquise, c'est d'la fumièrerie pur fruit !

— On ne s'était pas aperçus de ta chute, Gros,
assuré-je en l'étreignant pour l'accolade des retrou-
vailles.

Mais il a la rancœur tenace :

— Un homme comme moi, av'c des mecs comme
vous, c'est vraiment un cochon donné à d' la confiture.
Mais enfin, causons z'en plus. Votre idée d'allumer un
grand feu, au début d'la noye, m'a sauvé la mise.
M'agine-toi qu'j'm'étais mis en route dans l'sens
contraire. Et puis j'm'arrête pour lansquiner. Et qu'a-
perçois-je-t-il ? Des grandes flammes à l'horizon. Dès
lors, comme on dit en politique, le sac était dans
l'affaire !

L'ULTIME MISSION
OU
LE GRAND SECRET

C'est avec beaucoup d'émotion que nous vidons la bouteille de bourbon qu'avait emportée le brave lieutenant Rendell et que nous avons dénichée dans la soute à bagages du skidoo.

A la flamme d'un rustique foyer, le cher Béru se dégèle peu à peu. Il nous relate sa longue marche sur la banquise. Le froid, la faim qui le torturaient. Et la fatigue aussi. Sitôt qu'il cessait d'arquer, la pétrification commençait. Si ce putain d'hélico n'avait pas pris feu, lui dévoilant ainsi un lieu habité, il aurait fini par s'arrêter, vaincu par l'épuisement, et il serait mort gelé, le pauvre ami.

Lorsqu'il est revigoré, nous tenons conseil. De toute évidence, les Russes disposent d'une petite base secrète au nord du Groenland, eux aussi. L'un des blessés interrogés (celui qui a une guitare scrafée) nous révèle qu'ils se sont discrètement implantés dans un faux village esquimau situé à une centaine de kilbus de Tupuduk. Ils y ont bâti discrètement des hangars de glace afin de pouvoir y planquer quelques hélicos et du matériel sans qu'ils soient repérables par les patrouilles ricaines qui, de temps à autre, survolent le territoire solitaire et glacé.

Il est évident que, sitôt le jour levé, un deuxième hélicoptère sera dépêché à la recherche du premier. Il viendra survoler Tupuduk et ses passagers découvrirons l'épave calcinée. Alors une nouvelle bataille s'engagera et, cette fois, nous aurons peut-être moins de chance.

Jakobsen se lève brusquement de son siège composé d'une caisse vide. Il nous regarde, puis visionne sa montre d'acier et hoche la tête.

— Maintenant, il faut que je vous parle, dit-il, car j'ai besoin de votre aide. Sans vous, je ne parviendrai plus à mes fins. Et si c'était le cas, il en découlerait des conséquences terribles.

Son ton grave nous impressionne.

— Nous vous écoutons, Nicolaj ! l'invité-je.

Alors, cet être que nous coursons éperdument depuis des semaines, cet homme que les Russes s'acharnent à vouloir neutraliser coûte que coûte et qui, protégé par la Providence sans doute, est encore là malgré les moyens conjugués pour sa perte, oui, cet homme brave, indomptable, d'une ténacité exemplaire, parle.

Bien étrange histoire que la sienne. Mais l'aurais-je narrée avec tant de verge et de brioche (pardon : je veux dire de verve et de brio) si elle ne l'était point ? Tu me connais, n'est-ce pas ? Bon, alors, je poursuis.

Jakobsen, Prix Nobel de physique en compagnie de quelques autres savants étrangers a découvert avec eux, *la prismologie solaire interférente à convexité protubérante multiple.*

L'appellation paraît absconse, voire barbare, mais sache, ô mon frère en ignardise, qu'elle qualifie l'une des découvertes les plus remarquables de ce siècle d'après Jésus-Christ. Je vais te résumer l'objet très simplement, d'abord parce que tu es bouché à l'émeri, ensuite parce que j'ai pas eu le temps de bien potasser le mode d'emploi (lequel était rédigé en danois).

Sache seulement, et cela suffira à ta comprenance, que par un jeu de prismes spéciaux, la chaleur du soleil peut être amplifiée un trillion de fois. Tu as bien lu, Lulu ? Un trillion ! Soit un milliard de milliards ! Soit encore, pour simplifier, 10 exposant 18. Ce qui revient à dire que, lorsque la température ambiante est de 20°, grâce à ce formidable amplificateur thermique, elle

parvient à 20 000 000 000 000 000 000 degrés ! Tu juges ?
On peut ôter son Rasurel ou son Damart, non ? Et faire
cuire ses œufs coque en moins de trois minutes !

Alors, bon, nos grands cerveaux mettent ce truc au
point. On les récompense. Et puis, comme nous vivons
dans un monde de cons, les choses en restent là. Faut
dire que la fabrication des primes et leur assemblage
sont si onéreux que l'invention paraît inexploitable à
des fins industrielles. Les savants l'ont dans le culte.

C'est alors que les gentils Soviets interviennent. Ils
sont prêts à financer une opération ponctuelle. Tu
parles, les inventeurs, ils s'en branlent de qui les
sponsorise comme on dit puis aujourd'hui (la première
fois que j'ai entendu parler des sponsors, j'ai cru qu'il
s'agissait d'extra-terrestres !) et ils acceptent la propose
russe.

Ce dont il s'agit ? Je vais t'y dire, ça va t'amuser ! La
base américaine de Thulé, ça les fait tarter méchamm-
ment, les Popofs. Toujours à ramener leur fraise dans
des coins impossibles, ces Yankees de merde ! A
vouloir tout verrouiller, à placer des fusées, à
construire des bases militaires, des trucs pourris et des
machins qui pètent, classe, à la fin ! Grâce à Jakobsen
et à ses potes géniaux, ils leur mijotent un coup fumant
(c'est le cas d'y dire). Ils vont leur carboniser leur
immense base de Thulé, si importante, qui bloque toute
la partie septentrionale de l'Europe.

Comment ? *En faisant fondre le glacier Humboldt* qui
domine la base ricaine de sa fantastique masse. Tu sais,
sinon je te l'apprends, que si la calotte glaciaire du
Groenland fondait, le niveau des océans grimperait de
7 mètres ? Donc, en plaçant le système prismique solaro
interférentiel au pied du glacier, celui-ci va devenir un
sorbet au citron sur une plaque chauffante. L'eau qui
en résultera inondera la base inexorablement. Et messieurs les Ricains l'auront si *profoundly* dans le baba
que dans un siècle on se claquera encore les cuisses
dans les isbas en se racontant leur mésaventure.

Nos quatre physiciens acceptent le marché. Ils sont

commandités. Ils bossent comme des bêtes. On les choie, on les chouchoute, les mignarde. Des mois d'un travail dantesque.

Le moment venu, lorsque leur fourbi est prêt, on les emporte au pied du glacier. On banalise l'expédition. Traîneaux à chiens, camp d'excursionnistes, drapeau danois au vent. Pas inquiéter les Outre-Atlantiens. On fait même de la pube dans les gazettes locales. Une expédition danoise veut reconstituer celle de Rasmussen et étudier la vie des derniers Esquimaux non encore intégrés à la vie moderne.

Ces mecs travaillent plusieurs semaines. Ils installent leur bordel à cul. Ça baigne ! A la fin, ils palpent la fraîche qu'on leur a promise et on les rapatrie dans leurs patelins d'origine.

Mais les malheureux ne se doutent pas qu'ils sont condamnés. Après avoir établi ce faramineux traquenard, il est impossible de les laisser poursuivre leur brillante existence. Un homme n'est qu'un homme. Ça tombe amoureux, ça se poivre la gueule, c'est faible, ça cause !

Pour une fois que les Russes vont pouvoir anéantir cette méchante base qui les gratte, et sans être soupçonnés, car on ne pourra que mettre la catastrophe sur le compte d'un phénomène géologique ou climatique, ils ne peuvent pas prendre de risques. Alors nos quatre savants sont condamnés à mort et vont être éliminés.

Mais pour Jakobsen, un grain de sable nommé Hugues Capet bloque le rouage. Le vicomte m'alerte, j'entre en guerre, et tu sais le reste.

Sacrée aventure, non ?

— Si je comprends bien, conclus-je, vous avez décidé de venir faire sauter votre ouvrage ?

— Exact.

— Pourquoi ?

— Pour venger mes compagnons. Nous avons été dupés.

Et puis aussi pour sauver sa peau. Comprends, Renaud, *que c'est son unique chance de s'en tirer. En détruisant le secret, il détruit le danger qu'il représentait en risquant de le dévoiler.* C'est pas chiément pensé, ça, madame ? Il a du chou, le gars Nicolaj ! Une fois le mécanisme nazé, la foudre s'éloignera puisque sa mort deviendra sans objet.

— Comment comptez-vous dynamiter votre bel ouvrage, monsieur Jakobsen ?

— Le plus simplement du monde : en allant placer une forte charge sous le centre de focalisation condescendante.

— Vous allez me dire que l'endroit n'est pas gardé ?

— Surveillé à distance seulement, pour ne pas donner l'alerte aux Américains. Il faut donc que j'y parvienne avant le lever du jour. C'est dire que je dispose de quatre heures.

— Et combien de temps vous faut-il pour y accéder ?

— Avec votre traîneau à chenilles, moins d'une heure, en tenant compte de l'état du sol que la nuit rend dangereux. Je dois récupérer toutes les torches électriques de ce village et les placer en arc de cercle à l'avant du skidoo pour éclairer ma route. J'irai doucement, bien entendu.

— Je vous accompagne, décidé-je.

— Moi t'aussi ! assure Béru.

Mais là, je m'interpose :

— Toi, le Gravos, tu reste ici pour récupérer et protéger Marika ! Tu es vanné par ta longue marche.

Il proteste, mais je reste intraitable. Deux forcenés qui s'embarquent dans les ténèbres en compagnie de trois caisses de dynamite surchoix, ça suffit !

Marika entreprend d'acheter à prix d'or les lampes disponibles dans cette urbanisation d'igloos. Epuisé, mister Gradube roupille, le nez entre les forts nichons d'une Esquimaude en ordre de marche.

— Comment se fait-il que votre putain d'invention, terminée depuis plus d'un mois, n'ait pas encore été opérationnelle ? Je questionne.

Jakobsen hausse les épaules.

— Parce qu'il faut attendre le soleil de printemps !

bougonne-t-il. Pour l'instant, et afin d'éviter des fausses manœuvres, le système prismatique est recouvert d'une chape d'amiante étamée à recrutement valvaire qui le neutralise entièrement. Mais dès le retour du soleil, il suffira de deux hommes pour retirer cette espèce de couverture isolante, et alors, quand les premiers rayons solaires entreront en contact avec les prismes, ce sera la débâcle.

— Putain, fais-je, je cherche à comprendre. Il y a cependant encore un peu de soleil en cette saison !

— Certes, mais il fait déjà trop froid. Le reliquat de soleil *serait suffisant pour faire fondre le glacier, seulement l'eau qui en résulterait gèlerait avant d'atteindre le camp de Thulé.*

Cette expédition dynamite, je te la narre pas en détail vu que ça ne ferait pas progresser le schmilblick. Quand je t'aurai raconté qu'on bande que d'une demi-couille pendant les cinquante minutes du trajet, qu'en arrivant sur les lieux désolés, au pied du glacier Humboldt, il nous faut haler le revêtement d'amiante étamée au moyen de skidoo, puis, le système prismatique dévoilé au fond de la tranchée où il est aménagé, aller creuser sous son centre nucléofarineux pour y loger les trois caisses de dynamite, ensuite connecter celles-ci entre elles, développer les cordeaux Bickford, procéder à la mise à feu et tirer nos miches de la zone dangereuse. Quand je t'aurai dit cela (et si je ne suis pas totalement gâtouillard, il me semble que je viens de le faire), je t'aurai raconté l'essentiel.

Décidément, c'est la nuit des explosions ! Mais elles vont crescendo et c'est la troisième la plus belle. Ce badaboum, mon trognon ! Un pet forcené. De la glace et des éclats de prisme montent dans les nues jusqu'à la lune invisible, s'y mêlent, s'y confondent, puis retombent en grêlons de gros calibre. C'est si fort que cela ressemble à une secousse simiesque, comme dit Béru. On ne s'est pas suffisamment éloignés et les morcifs pleuvent autour de nous. J'en entends qui choient sur le capot du skidoo. Seigneur ! Pourvu qu'ils ne saccagent pas notre unique mode de locomotion !

Le silence tarde à revenir. Comme quand l'orage s'éloigne en rechignant. Y a des ondes qui continuent de se propager, de se bousculer, loin, très loin, encore et encore...

Je me suis jeté sur le sol glacé, j'ai mis mes bras sur ma nuque pour la protéger.

Tout cela ne doit durer qu'une pincée de secondes, mais je trouve l'attente interminable. A la fin, il ne reste plus qu'un bruit dans ma tronche : celui de mon sang. Je veux me relever, mais le froid a collé mes fringues à la glace et je dois faire des efforts surhumains pour m'arracher à cette mortelle étreinte.

— Pour un feu d'artifice, c'est un feu d'artifice, dis-je à Jakobsen. Je n'avais encore jamais vu le pareil, même au cours de mes plus prestigieux Quatorze Juillet.

Il ne répond pas.

Je m'approche de lui. Il est agenouillé tout bizarrement contre un bloc de glace. Il a le crâne explosé à cause d'un tesson de prisme gros comme un flacon de whisky (modèle pour la poche) qui s'est planté tout droit dans sa boîte crânienne.

S'il ne gelait pas à pierre qui roule n'amasse pas mousse, j'éclaterais en sanglots longs de violons de l'automne !

Mort en détruisant son œuvre ! Mort de son invention, somme toute, et en avant harche !

Tué par ce qu'il a créé en voulant l'anéantir ! Quelle drôle de leçon !

Je pense au vicomte Hugues Capet, mort lui aussi à cause de cette découverte. Il s'était piqué au jeu, le chattophage. Il avait voulu que d'autres continuent son élan d'altruisme. Et moi, à mon tour, j'ai relevé le flambeau. Et me voici à l'extrême nord du monde, confondu, vaincu par l'insondable dessein de Dieu !

Tant de gens sont morts de cette aventure scientifique. Est-ce la vengeance de la Nature superbe qui refuse de se laisser tripoter par les hommes capricieux ? Le boomerang de leur génie leur revient en pleine poire et les anéantit !

Je lève un regard craintif sur le glacier Humboldt, immense et majestueux dans la nuit, pareil à cette peinture de Magritte représentant une montagne qui figure un aigle aux ailes écartées.

Montagne de glace que la Nature a décidée, et qui continuera de se dresser ainsi jusqu'à ce que vienne le temps des réchauffements naturels.

Est-ce que le skidoo marche encore ?

Oui : impec. Me reste plus qu'à rebrousser chemin et à suivre ses traces en sens inverse.

Adieu, Jakobsen, que j'ai mis si longtemps à atteindre et que je n'aurai pu sauver que pendant quelques heures...

CONCLUSION INTESTINALE

Elle se comporte avec Marika pile comme j'avais prévu, m'man. Intimidée par la classe de mon héroïne, son élégance, sa beauté, l'énergie qui brille dans ses yeux comme des flammes de bougies de messes. Elle surveille son français, bien que Marika soit étrangère. Elle fait vachement concorder les temps. Je la surprends même à se farder plusieurs fois par jour, ma vieille. Cela dit, ça la rassure de me voir avec une gonzesse pareille.

Au début, elle voulait loger à l'hôtel, ma Danoise. Félicie aurait été plutôt pour, cela aurait supprimé un peu de sa gêne. Mais j'ai tenu bon. Du moment que nous avons décidé de faire un brin de route (ou peut-être beaucoup ?) ensemble, ça n'aurait rimé à rien qu'elle rentre, le soir venu, au *Royal Monceau,* tandis que je me pageais dans mon grabat de célibataire.

Alors, bon, on fait plumard commun. La seule chose, on met une sourdine à nos débordements d'alcôve, pas chanstiquer la sérénité de notre pavillon. Toinet se biche des orgelets à mater par le trou de notre serrure, et Maria, la soubrette qui se morfond pour ma pomme depuis que je l'ai sabrée un soir de spleen, pleure à chaude pisse en faisant le ménage. Ça lui passera. Le chagrin, c'est comme le loto : faut attendre. Et puis voilà qu'un jour, il te rapporte gros.

En fin de compte, ça s'est bien déroulé, la toute fin

de notre équipée groenlandaise. Contrairement à ce qu'on appréhendait, les Russkoffs ne nous ont plus cherché des magnes. Selon moi, il s'est passé la chose suivante : avant d'entreprendre un raid sur Tupuduk, ils ont opéré une reconnaissance au pied du glacier Humboldt, alertés sans doute par l'explosion de la nuit. Quand ils ont vu que l'installation prismatico-solaire avait fait long feu, qu'ils ont aperçu le cadavre de Jakobsen près des décombres, ils ont juste été faire un viron à haute altitude sur la bourgade esquimaude. Les restes calcinés de leur hélico ont achevé de leur faire piger leur échec. Comme ce sont des gens réalistes, ils ont décidé que ça suffisait comme ça. Et bon, on a été peinards pour organiser notre grand retour dans notre beau pays de France où tu ne trouves de la glace que dans les patinoires, vu qu'en hiver on sale les routes histoire de saccager nos bagnoles.

Marika m'a suivi. Sans qu'on le décide. C'était préétabli. On voulait un avenir ensemble.

Une rencontre pareille, c'est pas possible de simplement : « bonjour, bonsoir, à la prochaine ». Des baisances aussi intenses, tu les recommences tous les jours, plusieurs fois. C'est comme des granulés fortifiants : à prendre aux trois repas. Je la prends aux trois repas. Quéquefois avant, quéquefois après. Ça nous est même arrivé pendant, un jour que Félicie avait conduit Toinet « au » dentiste à l'heure du déjeuner pour pas lui faire rater l'école. Ce jour-là, la pauvre Maria était transformée en fontaine !

Nous voilà dans l'escadrin des Bérurier.

Le Gravos a organisé un raout pour fêter la venue de l'ex-Mme Ted le Rouge chez lui. Paraît qu'elle s'acclimate bien, l'Esquimaude et que Berthaga est très gentille avec elle. Depuis qu'ils vivent à trois, la Grosse a donné congé à Mme Mormela sa femme de ménage.

Le Mastar vient répondre à mon coup de sonnette. Il est loqué Grand Siècle : pantalon noir, veste d'intérieur verte à col châle noir, pantoufles achetées au Carreau du Temple, nœud papillon porté à même la peau.

— Donnez-vous la peine d'entrer, mes jolies dames ! il gazouille. Qu'est-ce je vois-t-il ? Maman Félicie nous a préparé une tarte à la rhubarbe ! Mais c'est Bizerte ! Et la Marika qui s'croye t'obligé de s'pointer av'c des fleurs ! Au prix que ça coûte, ma pauv' petite, vous auriez z'eu trois boutanches de Côte Rotie av'c l'argent dont ça r'présente et ça nous eusse grisés tout aussi bien sinon mieux ! Même l'Antonio qui fait l'mondain en rabattant av'c deux fichus Hermès pour *mes* femmes !

« V'nez vite ! Et faisez attention d'pas vous accrocher aux barils d'morue qu'on a dû entreposer d'partout, y compris dans not' chamb' à coucher. Une tonne, vous pensez, ça fait du pétard. J'l'ai reçue hier. Si vous trouveriez qu'ça fouette, j'peux vaporiser d'la citronnelle, mais quant à moi, j'aime mieux l'odeur d'la morue. Ell' m'fait saliver, alors que la citronnelle, j'éternue.

« Assoyez-vous, on va licher un gorgeon de muscadet. Berthe, j'te présente maâme Marika qu'j't'ai causé : la nouvelle pétasse à Sana. Marika, voici ma première femme : Berthe. Faites pas attention qu'é soye encore en soutien-gorge, j'viens d'y dégueulasser son corsage en débouchant le beaujolpif pour la bidoche. Comme entrée, on a une fumante aïolie, mes agneaux, dont j'espère qu'é vous f'ra pas trop fumer l'œil de bronze demain matin, biscotte la Berthy te vous l'a corsée comme pour une partouze, sauf le respecte qu'je vous doye, maâme Félicie.

« Mettez-vous à ma droite, maâme Félicie. La Marika à ma gauche. Sana se farcira mes deux saut'relles. Samso-Nyte va viendre dans un instant : elle monte l'aïoli, ce dont Berthe ne peut pas vu qu'elle a ses régu', c'qui vous bousille n'importe qu'elle mayonnaise.

« Alors, les mignons amoureux, la baise est toujours de feurst couality ? Y flanche pas des rognons, mon grand ? Avant qu'on va bouffer, Sana, j'aimerais bien savoir quel job t'escomptes, doré de l'avant, puisque tu veux pas rintégrer la Cage à Poule. V's'aviez un projet, toi et Marika, est-ce qu'il prend-il corps ? Parce que vous savez qu'j'en suis ! »

Oui, nous avons un projet. Je t'en parlerai dans mon prochain polar.

— On y pense, on y pense, éludé-je.

Mais le Mahousse sourcille, s'enrogne :

— Ecoutez, Marika, dites à votre bandeur qui doive pas me prend' pour un con. Ce gus-là, il est trop actif pour faire relâche longtemps. Le côté poil dans la main, c'est pas son blaud. Ou alors il en a plusieurs et c'est ceux de votre touffe !

FIN

*Achevé d'imprimer en février 1988
sur les presses de l'Imprimerie Bussière
à Saint-Amand (Cher)*

— N° d'impression : 3011. —
Dépôt légal : février 1988.
Imprimé en France

— N° d'édition : 2017 —
Dépôt légal : février 1988.
Imprimé en France